Graded Chinese Reader 1

Selected Abridged Chinese Contemporary Short Stories

汉语分级阅读 1

史迹 编著

华语教学出版社
SINOLINGUA

First Edition 2007
Third Printing 2011

ISBN 978-7-80200-374-3
Copyright 2007 by Sinolingua
Published by Sinolingua
24 Baiwanzhuang Road, Beijing 100037, China
Tel: (86) 10-68320585 68997826
Fax: (86) 10-68997826 68326333
http:// www.sinolingua.com.cn
E-mail: hyjx@sinolingua.com.cn
Printed by Beijing Songyuan Printing Co., Ltd.

Printed in the People's Republic of China

目录
Contents

Preface

It is well-known that reading practice is an effective method to improve one's proficiency in a foreign language. For students of Chinese as a foreign language, learning how to read Chinese is an essential and necessary process for getting familiar with Chinese words. However, to become effectively literate, one needs to have a command of about 3000 to 5000 Chinese words. For students of Chinese as a foreign language, getting acquainted with such a large Chinese vocabulary is quite a heavy burden. But students are eager to read in Chinese, even with their limited Chinese vocabulary. The author once taught Chinese in the Department of Venice University and found that the students needed some simple Chinese materials to improve their reading ability. *Graded Chinese Readers* are such simplified books designed for students of Chinese as a foreign language. The main purpose of *Graded Chinese Readers* is to help students improve their reading comprehension. *Graded Chinese Readers* can be useful both inside and outside the classroom.

Clarity, readability and language practicability are characteristics of the selected short stories and novella. Some are prize-winning works. The stories describe Chinese people's lives and various social changes that have happened in the last twenty years in China. Therefore, students of Chinese as a foreign language can gain a better knowledge of the everyday life of Chinese people through some literary works and some important contemporary Chinese writers. In order to help readers have a good comprehension of these works, there is "Guide to reading" before each story, and after each reading there are some questions based on the stories and a brief introduction to the writers.

The vocabulary of *Graded Chinese Reader 1* is limited to about 2000 Chinese words. This is based on the 1033 Chinese words defined as basic vocabulary in the Level A (甲级词汇) of the Chinese Proficiency Test (汉语水平考试,HSK), together with some words from the Level B of HSK basic vocabulary (乙级词汇).

In *Graded Chinese Reader 1*, the most common words are used, and appear frequently for students to memorize. In the book, Chinese sentences are reasonably short, and complex sentences are avoided. In some cases different sentences are used to paraphrase more difficult sentences for clarification. Pinyin is given to the stories so that students can review and memorize pronunciations of Chinese words and look them up in a dictionary by themselves. In each story, for some key words, difficult words, idioms and difficult sentences, notes and examples are given at the side of each page. Notes are unique to each story so readers can choose any story to begin to read without turning to the notes in other stories. In order to improve listening comprehension of students of Chinese as a foreign language, CDs in MP3 format are attached to each book. In addition, the stories are illustrated with pictures, which can help students understand the stories better. In summary the aims of *Chinese Graded Readers* are to reduce the difficulty of Chinese reading, to enlarge the readers' vocabulary, and to improve Chinese reading and listening ability.

The author would like to thank College of Foreign Languages of Southwest Jiaotong University and Sinolingua for their sincere support, Professor Abbiati Magdar of the Chinese Department of Venice University for her precious ideas when I prepared for the book , all the Chinese contemporary writers for their permission to adapt their works in the book, editor Fu Mei for her constructive suggestions and her sincere help, my friends Peter Moon and Pat Burrows for their suggestions and proofreading of the English part of the book. I would like to thank all of the people who helped me directly or indirectly in the development of this book.

Chinese Graded Readers are subsidized by the publishing

funds of Southwest Jiaotong University.

Constructive suggestions of *Graded Chinese Readers* from colleagues and Chinese as a foreign language students are sincerely welcome. We hope that *Graded Chinese Readers* are helpful to CFL students and readers.

Contact the author at: shiji0612@126.com

Shi Ji
May 6, 2007

前　言

　　任何一门外语的学习，都离不开阅读。通过阅读提高语言水平历来是一个广为接受的、有效的语言学习途径。基础汉字、语法、词汇是汉语阅读的基础，阅读是对基础语言知识的强化。通常情况下，要读懂一般的汉语材料，外国学生需要掌握3000~5000个汉语常用词汇。然而，汉语为外语的学生要掌握这么多的汉语词汇难度相当大。再加上文化背景不同，外国学生阅读汉语小说更是有着难以想象的困难。但是学生们却渴望用他们有限的词汇进行汉语阅读。本人在威尼斯大学中文系任教期间，了解到外国学生很需要这方面的阅读材料。《汉语分级阅读》就是针对外国学生学习汉语的需要，将一些中国当代作家的中短篇小说分别简写成汉语2000词和汉语3000词的简写本。其主要目的是提高汉语学习者的汉语阅读能力。《汉语分级阅读》既可以作为课堂的汉语阅读教材，也可作为课外的汉语泛读材料。

　　《汉语分级阅读》所选的故事都是中国当代作家的中短篇小说，有些是获奖作品。所选作品重点突出了作品的可读性和语言的实用性。通过阅读，学生不仅可以了解现在中国人们的生活，了解最近二十年发生的各种社会变化，还可以了解一些中国的当代作家。为让学生充分理解故事内涵,在阅读之前有英文的"阅读指导",阅读之后有思考题和英文的作家介绍。

《汉语分级阅读》首先推出第一册"中国当代短篇小说选·HSK 汉语 2000 词简写本"。《汉语分级阅读 1》的词汇量限制在2000 个词左右,所用词汇主要参照《中国汉语水平考试(HSK)大纲》中的甲级词 1033 个和部分乙级词汇。为方便汉语初学者,《汉语分级阅读 1》尽量使用常用词,并增加常用词的复现率,以此增强学生对汉语常用词的理解与记忆。为增强学生对句子的理解,句子力求简短,结构完整。本书对故事中的一些难词、关键词、需要注解的词和句子都给出注解,对一些常用词给出了例句,以便学生更好地理解生词。注释都是以单篇故事为主,以便学生选读某一篇故事而不受其他故事注释的影响。故事正文均配上拼音,使学生尽可能地通过读音联想词义和查阅词典。为提高学生的汉语听力水平,本书配有 MP3 格式的光盘。除此之外,每篇故事还配有插图,以帮助学生更直观地了解故事内容。《汉语分级阅读》的编写宗旨是降低汉语阅读的难度,让学生在汉语阅读中巩固和增加汉语常用词汇,提高汉语阅读和汉语听力水平。

在《汉语分级阅读》的编写过程中,我得到很多人的帮助,在此谨表示我衷心的谢意。我非常感谢西南交通大学外语学院的领导和华语教学出版社的支持。感谢威尼斯大学中文系 Abbiati Magdar 教授对本书的关心和指导。感谢为本书提供作品的当代作家们。感谢华语教学出版社傅眉编辑对本书提出的宝贵意见和热情帮助。感谢朋友 Peter Moon 和 Pat Burrows 对本书英文部分提出的修改意见。感谢曾经以不同方式直接或间接帮助我完成本书的所有朋友。

《汉语分级阅读》由西南交通大学出版基金提供部分资助。

本书作者真诚希望《汉语分级阅读》能成为外国汉语初学者的良师益友，希望广大读者和同仁不吝赐教。作者邮箱：shiji0612@126.com

史　迹

2007 年 5 月 6 日

一、人民的鱼

yuánzhù　sū tóng
原著：苏　童

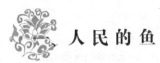 人 民 的 鱼

Guide to reading:

This story describes the changes of Chinese people in terms of ideology since the 1980s through the traditions related to fish. In Chinese language, the pronunciation of "鱼 (yú, fish)"is the same as "余(yú)". "余"implies "surplus of money". For this reason, during Spring Festival in China, people like to say, "May you have fish every year. " Prior to the 1980s, fish was very expensive, and was often presented as a gift for someone special. People regard fish as the main dish on the eve of the Chinese New Year. Nowadays fish is very popular on ordinary people's dinner table, and people often order fish in restaurants. This story not only describes the profound social changes, but also describes changes among personal relationships. Compared with the ever increasing indifference seen in many human relationships in modern society, the story also reveals the human kindness of Chinese culture. Through this story of fish, readers can see how the society and the life of people have changed over the last twenty years.

故事正文：

zài zhōng guó nán fāng de yí zuò chéng shì li
在 中 国 南 方 的 一 座 城 市 里,
yǒu yì tiáo jiē jiào xiāng chūn shù jiē   chūn jié kuài
有 一 条 街 叫 香 椿 树 街 [1]。春 节 快
yào dào le   rén men kāi shǐ zhǔn bèi guò chūn jié
要 到 了,人 们 开 始 准 备 过 春 节
le   chūn jié shì zhōng guó zuì zhòng yào de jié rì
了。春 节 是 中 国 最 重 要 的 节 日。
chūn jié yì bān shì zài měi nián de yī yuè huò zhě èr
春 节 一 般 是 在 每 年 的 一 月 或 者 二
yuè   guò chūn jié yě jiào guò nián   zhōng guó rén
月。过 春 节 也 叫 过 年。中 国 人
guò chūn jié dōu xǐ huan chī yú   rén men guò chūn jié
过 春 节 都 喜 欢 吃 鱼。人 们 过 春 节
xǐ huan chī yú   shì yīn wèi hàn zì   yú   hé   yú   de
喜 欢 吃 鱼,是 因 为 汉 字 "鱼" 和 "余" 的
fā yīn yí yàng   nián nián yǒu yú   tīng qǐ lái jiù shì
发 音 一 样," 年 年 有 鱼 " 听 起 来 就 是
nián nián yǒu yú   nián nián yǒu yú   de yì si
" 年 年 有 余 "。" 年 年 有 余 " 的 意 思
shì nián nián shēng huó fù yù   nián nián yǒu qián
是 年 年 生 活 富 裕 [2],年 年 有 钱,
nián nián shēng huó de hǎo   rén men chūn jié xǐ
年 年 生 活 得 好。人 们 春 节 喜
huan chī yú   jiù shì yīn wèi rén men xī wàng zài xīn
欢 吃 鱼,就 是 因 为 人 们 希 望 在 新
de yì nián li   yǒu qián   xī wàng yì nián dōu
的 一 年 里 " 有 钱 ",希 望 一 年 都

1 香椿树街: 一条街
的名字
香椿树: Chinese toon
(a type of plant)

2 富裕: adj. wealthy;
rich
E.g. 人们一天天地
富裕起来。
E.g. 他们家的孩子
很多,生活不富裕。

néng shēng huó de hěn hǎo
能　生　活　得　很　好　。

zài bāshí nián dài yǐ qián　yú hěn guì　rén men
在 80 年 代 以 前 ，鱼 很 贵 ，人 们

hěn shǎo chī yú　kě shì guò nián de shí hou　zhù zài
很　少　吃 鱼 。可 是 过 年 的 时 候 ，住 在

xiāng chūn shù jiē shang de jū lín shēng de jiā li huì
香　椿　树 街 上　的 居 林 生　的 家 里 会

yǒu hěn duō de yú　zhè shì yīn wèi jū lín shēng shì
有　很　多 的 鱼 。这 是 因 为 居 林 生　是

gàn bù　hěn duō rén wèi le lā guān xi　jiù bǎ yú
干 部¹，很　多 人 为 了 拉 关 系²，就 把 鱼

zuò wéi lǐ wù sòng dào tā jiā li
作 为 礼 物　送　到 他 家 里 。

jū lín shēng de lín jū men zài jiē shang tán zhe
居 林 生　的 邻 居 们 在 街 上　谈 着

zhè jiàn shì qing　tā men rèn wéi zhè hěn bù gōng
这 件 事 情　，他 们 认 为 这 很 不 公

píng　tā men kàn jiàn māo zài jiē shang pǎo　jiù jī
平 。他 们 看 见 猫 在 街 上　跑 ，就 讥

fěng de shuō　kàn jiàn le méi yǒu　jiē shang de
讽³地 说 ："看 见 了 没 有 ，街 上　的

māo dōu wǎng jū lín shēng de jiā pǎo ne
猫　都　往　居 林 生　的 家 跑 呢 。"⁴

xiāng chūn shù jiē shang　gěi jū lín shēng sòng
香　椿　树 街 上　，给 居 林 生　送

yú de rén lái lái wǎng wǎng　duō shao yú a　yǒu
鱼 的 人 来 来 往　往　。多 少 鱼 啊 ！有

de yú shì cóng xiǎo qì chē shang xià lái de　yǒu de
的 鱼 是 从　小　汽 车 上　下 来 的 ，有 的

---

1 干部: personnel who assume the office of leadership, management, official positions, etc.

E.g. 大干部 (an officer of high rank), 小干部 (an officer of low rank), 工会干部 (union officer), 街道干部 (an officer who is in charge of neighborhood service)

2 拉关系: to try to establish a relationship with somebody

E.g. 有的人喜欢送礼拉关系。

3 讥讽: sarcastically

4 This sentence implies that Ju Linsheng's house has so much fish that it attracts cats. His neighbors often jeer at him when so many people give him more fish.

鱼是坐面包车[1]来的，也有的鱼是被人挂在自行车上，送到居林生家里的。居林生的家有一个大鱼池[2]。鱼池里有各种鱼，有青鱼、草鱼、鲤鱼，还有黑鱼，差不多都是五斤以上的大鱼。那么多的鱼在居林生家里，有的躺着，有的被挂着，都是居林生收到的春节礼物。有的鱼死了，有的鱼躺在地上张着嘴，睁着眼睛。鱼们不知道它们成了人们的春节礼物。人们认为鱼是最吉祥[3]的礼物。在春节前，在寒冷的街上，人们带着鱼来来往往，送来送去。冬天的香椿树街看起来很热闹。人们喜欢

1 面包车: small bus

2 鱼池: fish pool
Here it is used as a hyperbole, which describes there is so much fish in Ju Linsheng's home.

3 吉祥: fortunate; promising
E.g. 吉祥如意 (good luck).

shuō nián nián yǒu yú nián nián yǒu yú lián
说，"年 年 有 鱼，年 年 有 余"，连
xiǎo xué shēng dōu dǒng de yú shì yú de yì
小 学 生 都 懂 得"鱼"是"余"的意
si
思。

　　yí dào guò nián jū lín shēng jiā de kè rén jiù
　　一 到 过 年，居 林 生 家 的 客 人 就
duō qǐ lǎi le kè rén men lái lái wǎng wǎng jìn jìn
多 起 来 了。客 人 们 来 来 往 往，进 进
chū chū zǒng shì bú duàn nà ge shí hou jū lín
出 出，总 是 不 断。那 个 时 候，居 林
shēng suī rán shì ge xiǎo gàn bù dàn shì zài zhè tiáo
生 虽 然 是 个 小 干 部，但 是 在 这 条
jiē shang tā kě shì zuì dà de gàn bù le rén men
街 上 他 可 是 最 大 的 干 部 了。人 们
cháng cháng kàn jiàn jū lín shēng hé tā de qī zǐ chū
常 常 看 见 居 林 生 和 他 的 妻 子 出
lái sòng kè rén tā de qī zǐ jiào liǔ yuè fāng shì yí
来 送 客 人。他 的 妻 子 叫 柳 月 芳，是 一
ge jiē dào gàn bù wǎn shang jū lín shēng hé qī zǐ
个 街 道 干 部。晚 上，居 林 生 和 妻 子
cháng cháng zhàn zài mén kǒu sòng kè rén yǒu shí
常 常 站 在 门 口 送 客 人，有 时
hou shì jū lín shēng sòng kè rén yǒu shí hou shì liǔ
候 是 居 林 生 送 客 人，有 时 候 是 柳
yuè fāng sòng kè rén duì zhòng yào de kè rén tā
月 芳 送 客 人。对 重 要 的 客 人，他
men fū qī liǎ jiù yì qǐ chū lái sòng jū lín shēng de
们 夫 妻 俩 就 一 起 出 来 送。居 林 生 的

dù zi hěn dà   kàn qǐ lái zhēn xiàng shì yí ge dà
肚子¹很大，看起来真 像是一个大

gàn bù   zài sòng kè rén de shí hou   jū lín shēng hěn
干部。在 送 客人的时候，居林生 很

suí biàn   tā cháng cháng shǒu li ná zhe yá qiān tī
随 便，他 常 常 手里拿着牙签剔

yá²   tǐng zhe dà dù zi   huī shǒu xiàng kè rén gào
牙²，挺着大肚子，挥手 向 客人告

bié   liǔ yuè fāng sòng kè rén bǐ jiào yǒu lǐ mào
别。³柳月芳 送 客人比较有礼貌。

tā cháng cháng zhàn zài mén kǒu   rè qíng de xiào
她常 常 站在门 口，热情地笑

zhe   dà jiā dōu néng qīng chu de tīng jiàn tā duì kè
着，大家都能 清楚地听见她对客

rén shuō   guò nián lái wǒ jiā chī fàn   yí dìng yào
人说："过年来我家吃饭，一定要

lái a   rú guǒ nǐ men bù lái   wǒ huì shēng qì⁴
来啊！如果你们不来，我会 生 气⁴

de
的！"

hǎo dōng xi duō le yě hěn má fan   yào xǐ nà
好东西多了也很麻烦。要洗那

me duō de yú   liǔ yuè fāng tài máng le   tā de gōng
么多的鱼，柳月芳太忙了。她的工

zuò shì hé rén yǒu guān xi de   xiàn zài tā què zhěng
作是和人有关系的，现在她却 整

tiān hé yú zài yì qǐ   zài zhè me duō yú dāng zhōng
天和鱼在一起。在这么多鱼当 中，

liǔ yuè fāng zuì xǐ huan hēi yú   yīn wèi hēi yú hěn tǐ
柳月芳最喜欢黑鱼，因为黑鱼很体

1 肚子: belly

2 剔牙: pick one's teeth

3 This sentence describes the manner of Ju Linsheng vividly. He acts as if he were some one special.

4 生气: 不高兴

E.g. 孩子不听话，妈妈很生气。

tiē tā   liǔ yuè fāng bǎ hēi yú fàng zài shuǐ li   hēi yú
贴 她。柳 月 芳 把 黑 鱼 放 在 水 里，黑 鱼

jiù zì jǐ yóu le   hǎo xiàng zài shuō   nǐ máng
就 自 己 游 了，好 像 在 说："你 忙

ba   wǒ hǎo yǎng   shén me shí hou chǔ lǐ wǒ dōu
吧，我 好 养 ¹，什 么 时 候 处 理 我 都

kě yǐ   qí tā de yú dōu zhēng zhe dà yǎn jing   kàn
可 以。"其 他 的 鱼 都 睁 着 大 眼 睛，看

zhe liǔ yuè fāng shǒu li de dāo   tā men hǎo xiàng
着 柳 月 芳 手 里 的 刀，它 们 好 像

shuō   lái ba   wǒ bú pà sǐ   pà sǐ wǒ jiù bú shì yú
说："来 吧！我 不 怕 死，怕 死 我 就 不 是 鱼

le   nà xiē yú bù néng yǎng   yě yǎng bù huó
了！" ² 那 些 鱼 不 能 养，也 养 不 活，

fēi shā bù kě le   liǔ yuè fāng bǎ yú yì tiáo yì tiáo
非 杀 ³ 不 可 了。柳 月 芳 把 鱼 一 条 一 条

de ná dào chú fáng li qù   shā yú xǐ yú dōu shì tā
地 拿 到 厨 房 里 去，杀 鱼、洗 鱼 都 是 她

yí ge rén zuò   tā ràng tā de zhàng fu jū lín shēng
一 个 人 做。她 让 她 的 丈 夫 居 林 生

bāng tā   kě shì jū lín shēng bèn   shǒu bèn jiǎo de
帮 她，可 是 居 林 生 笨 ⁴ 手 笨 脚 的，

bǎ zì jǐ de shǒu nòng pò le   zhè yě bù qí guài   yí
把 自 己 的 手 弄 破 了。这 也 不 奇 怪，一

ge bú huì zuò shì de nán rén   zěn me huì shā yú ne
个 不 会 做 事 的 男 人，怎 么 会 杀 鱼 呢！

liǔ yuè fāng zhǐ hǎo ràng tā huí fáng jiān li qù kàn
柳 月 芳 只 好 让 他 回 房 间 里 去 看

diàn shì   tā jiào ér zi chū lái   ér zi bù gāo xìng de
电 视。她 叫 儿 子 出 来，儿 子 不 高 兴 地

---

1 养: raise, grow

E.g. 他喜欢狗，他养
了三条狗。

E.g. 她喜欢花，她养
了很多花。

2 This is a personifica-
tion to make the sen-
tence sound humorous.

3 杀: to butcher

E.g. 要过年了，村子
里的人都在杀猪、杀
鸡、杀鱼。

4 笨: 不聪明，不会做
事

E.g. 他很笨。

E.g. 居林生不会洗
鱼，他做事笨手笨脚
的。

shuō　　ràng nǐ men bǎ yú sòng gěi bié rén　nǐ men
说 ：" 让 你 们 把 鱼 送 给 别 人 ，你 们
bú sòng　xiàn zài zhè me duō yú zài jiā li　tiān tiān
不 送 ，现 在 这 么 多 鱼 在 家 里 ，天 天
chī yú　chī de tóu fa shang dōu shì yú wèir　　le
吃 鱼 ，吃 得 头 发 上 都 是 鱼 味 儿[1] 了 。
wǒ chī yú dōu chī gòu le
我 吃 鱼 都 吃 够 了 。"

　　liǔ yuè fāng zhǐ hǎo yí ge rén xǐ nà me duō de
　　柳 月 芳 只 好 一 个 人 洗 那 么 多 的
yú　tā tài lèi le　tā yì biān nòng yú yì biān bù gāo
鱼 ，她 太 累 了 。她 一 边 弄 鱼 一 边 不 高
xìng de shuō　　zhè xiē rén zěn me zhè me bèn　jiù
兴 地 说 ：" 这 些 人 怎 么 这 么 笨 ，就
zhī dào sòng yú　wèi shén me bú sòng diǎn bié de
知 道 送 鱼 ，为 什 么 不 送 点 别 的
dōng xi ne　jīn nián guò nián wǒ men jiā méi yǒu yā
东 西 呢 ？今 年 过 年 我 们 家 没 有 鸭
zi　zěn me méi yǒu rén sòng yā zi ne
子 ，怎 么 没 有 人 送 鸭 子 呢 ？"

　　jū lín shēng shuō　　xiàn zài sòng yú hěn shí
　　居 林 生 说 ：" 现 在 送 鱼 很 时
máo　wǒ zěn me néng gào su bié rén　wǒ jiā li yú
髦[2] 。我 怎 么 能 告 诉 别 人 ，我 家 里 鱼
tài duō　wǒ jiā li méi yǒu yā zi　nǐ men sòng yā zi
太 多 ，我 家 里 没 有 鸭 子 ，你 们 送 鸭 子
ba　wǒ gēn bié rén néng zhè yàng shuō ma　zhè
吧 ！我 跟 别 人 能 这 样 说 吗 ？这
yàng shuō　dà jiā hái bú xiào wǒ
样 说 ，大 家 还 不 笑 我 ？"

1 鱼味儿: the smell of fish

2 时髦: fashion, fad
E.g. 她有很多时髦的衣服。

liǔ yuè fāng shuō　　sòng yā zi yě bù hǎo　shā qǐ
柳 月 芳 说:"送 鸭 子 也 不 好,杀 起

lái hěn má fan　yǒu de rén sòng lǐ sòng de hěn cōng
来 很 麻 烦。有 的 人 送 礼 送 得 很 聪

míng　bú sòng bié de　sòng huǒ tuǐ hé gān huò
明 ,不 送 别 的,送 火 腿 和 干 货¹。"

jū lín shēng bù gāo xìng le　　tā shēng qì de
居 林 生 不 高 兴 了,他 生 气 地

shuō　　hǎo　wǒ míng tiān jiù gào su rén men　bié
说 :"好!我 明 天 就 告 诉 人 们,别

sòng yú le　sòng huǒ tuǐ hé gān huò
送 鱼 了,送 火 腿 和 干 货!"

liǔ yuè fāng shuō　　xiàn zài rén men wèi shén
柳 月 芳 说:"现 在 人 们 为 什

me sòng yú ne　yú dāng rán hǎo　mǎi yì tiáo dà
么 送 鱼 呢?鱼 当 然 好,买 一 条 大

qīng yú zhì shǎo wǔ shí kuài qián　dàn rén men yě bù
青 鱼 至 少 五 十 块 钱,但 人 们 也 不

néng dōu sòng yú ya　sòng yì tiáo yú　hái bù rú zhí
能 都 送 鱼 呀,送 一 条 鱼,还 不 如 直

jiē sòng wǔ shí kuài qián ne
接 送 五 十 块 钱 呢!"

jū lín shēng tīng le　gèng shēng qì le　pǎo chū
居 林 生 听 了,更 生 气 了,跑 出

fáng jiān　duì qī zǐ dà shēng shuō　　hǎo　wǒ ràng
房 间,对 妻 子 大 声 说:"好,我 让

tā men sòng wǔ shí kuài qián lái　nǐ zěn me shén me
他 们 送 五 十 块 钱 来!你 怎 么 什 么

dōu bù dǒng　nǐ xiǎng ràng wǒ fàn cuò wù ma
都 不 懂?你 想 让 我 犯 错 误 吗?"

1 火腿和干货: ham
and dried foods

liǔ yuè fāng kàn dào zhàng fu shēng qì le　zhī
柳 月 芳 看 到 丈 夫 生 气 了，知
dào zì jǐ shuō de tài duō le　jū lín shēng méi yǒu
道 自 己 说 得 太 多 了。居 林 生 没 有
dǒng tā shuō de huà　jū lín shēng jué de liǔ yuè fāng
懂 她 说 的 话。居 林 生 觉 得 柳 月 芳
shuō tā bù néng gàn　cái shēng qì de　liǔ yuè fāng
说 他 不 能 干，才 生 气 的。柳 月 芳
xiào zhe bǎ tā tuī jìn wū li　shuō　nǐ zhè ge rén
笑 着 把 他 推 进 屋 里，说："你 这 个 人，
shén me shì dōu rèn zhēn　wǒ zài jiā li suí biàn shuō
什 么 事 都 认 真，我 在 家 里 随 便 说
shuo　nǐ yě shēng qì
说，你 也 生 气。"

　　suī rán liǔ yuè fāng hěn néng gàn　dàn shì　yú
虽 然 柳 月 芳 很 能 干，但 是，鱼
tài duō le　tā tài lèi le　tā chū mén rēng le yí dà
太 多 了，她 太 累 了。她 出 门 扔 了 一 大
pén yú de zāng dōng xi，tū rán xiǎng qǐ lái　tā jiā
盆 鱼 的 脏 东 西，突 然 想 起 来，她 家
li yān yú de gāng bú gòu yòng　jiù dào tā de lín
里 腌 鱼¹的 缸²不 够 用，就 到 她 的 邻
jū zhāng huì qín nàr　jiè gāng　zhāng huì qín
居 张 慧 琴 那 儿 借 缸。张 慧 琴
shuō　nǐ shì bu shì yān yú a　zhěng tiáo jiē dōu
说："你 是 不 是 腌 鱼 啊？整 条 街 都
shì nǐ jiā de yú xīng wèir　jiē shang de māo dōu
是 你 家 的 鱼 腥 味 儿，街 上 的 猫 都
wǎng nǐ jiā mén kǒu pǎo ne
往 你 家 门 口 跑 呢！³"

1 腌鱼：make dried and salted fish

2 缸：a jar made of pottery used to preserve vegetables, meat, etc.

3 These two sentences are hyperbole which implies that Liu Yuefang's family have so much fish that they have fish smell everywhere, and the whole street is even filled with fish smell.

柳月芳不想让别人知道她家的鱼多，说："我家只有几条鱼，怎么会整条街都是鱼腥味儿呢？我丈夫最不喜欢别人送礼了。他也不喜欢吃鱼。我借缸是腌菜用的。"[1]

柳月芳借了缸，忘了把盆拿回家。后来张慧琴就来敲门了。

张慧琴拿着盆站在门口，看到屋子里挂着很多鱼。张慧琴看到这么多鱼，笑着说："你腌这么多'菜'啊？吃一年也吃不完。"

张慧琴已经看到了鱼，柳月芳知道不能再说腌菜了。柳月芳说："这些鱼是别人帮我买的，价钱很便宜。"

1 Liu Yuefang does not tell Zhang Huiqin the truth. Her feelings are very complex. Liu Yuefang tries to hide something with her words.

张 慧琴 知道 柳 月 芳 没 有 说
真 话。她 笑 着 说："你 怎 么 不 要 鱼
头 呢？鱼 头 可 以 一 起 腌 的。"柳 月 芳
说："这 么 多 鱼，我 一 个 人 忙 不 过
来。"柳 月 芳 知 道 张 慧 琴 很 能
干，就 请 她 帮 忙，然 后 准 备 送
给 她 一 条 鱼。

大 家 都 知 道 张 慧 琴 喜 欢 帮
助 人。张 慧 琴 在 居 林 生 的 家 里，
帮 助 柳 月 芳 杀 鱼、洗 鱼。她 们 一 边
干 活 一 边 聊 天。张 慧 琴 说："你
看，这 么 大 的 大 青 鱼，可 以 吃 两 天
呢，你 好 福 气¹ 呀！"

柳 月 芳 说："什 么 好 福 气 啊！"柳
月 芳 明 白 张 慧 琴 的 意 思。柳 月

1 福气：good luck, good fortune

fāng kàn le yì yǎn zhāng huì qín   liǔ yuè fāng méi
芳 看 了 一 眼 张 慧 琴。柳 月 芳 没

shuō shén me   zhàn qǐ lái zhǎo chū le yí ge dà dài
说 什 么，站 起 来 找 出 了 一 个 大 袋

zi ná qǐ yì tiáo yú shuō   bié kè qi   zhè tiáo
子，拿 起 一 条 鱼，说 ："别 客 气，这 条

yú nǐ dài huí jiā qù   gěi nǐ hái zi chī ba
鱼 你 带 回 家 去，给 你 孩 子 吃 吧。"

　　zhāng huì qín kàn le yí xià yú shuō   nǐ bú
　　张 慧 琴 看 了 一 下 鱼，说 ："你 不

yào gēn wǒ kè qi   bú guò   wǒ zhàng fu hé hái zi
要 跟 我 客 气。不 过，我 丈 夫 和 孩 子

gēn māo yí yàng   dōu xǐ huan chī yú   wǒ jiā li suī
跟 猫 一 样，都 喜 欢 吃 鱼。我 家 里 虽

rán méi yǒu qián   tā men què fēi cháng xǐ huan chī
然 没 有 钱，他 们 却 非 常 喜 欢 吃

yú   shén me yú dōu chī
鱼，什 么 鱼 都 吃。"

　　liǔ yuè fāng shuō   yú de jià qián guì   nǐ gěi
　　柳 月 芳 说 ："鱼 的 价 钱 贵，你 给

tā men zuò yú chī   zhēn shì bù róng yì
他 们 做 鱼 吃，真 是 不 容 易。"

　　zhāng huì qín shuō   shì a   wǒ mǎi zuì pián
　　张 慧 琴 说 ："是 啊！我 买 最 便

yi de yú gěi tā men chī   wǒ zuò de yú hěn hǎo chī
宜 的 鱼 给 他 们 吃。我 做 的 鱼 很 好 吃。

rú guǒ nǐ yuàn yì cháng yí xià   nǎ tiān   wǒ ràng
如 果 你 愿 意 尝 一 下，哪 天，我 让

nǐ cháng chang
你 尝 尝。"

柳月芳同意她的话，便宜的东西，也可以做出好吃的菜。她看看鱼洗得差不多了，房间里的居林生已经关上了电视，要休息了。柳月芳看了一眼门后的盆，突然发现盆里还有鱼头，也是准备送人的。柳月芳想了一下，决定把鱼头送给张慧琴，不送别人了。

柳月芳问张慧琴："你们家吃不吃鱼头？如果你要，就送给你了。"

张慧琴说："怎么不吃？我最爱吃鱼头了。"

柳月芳就把鱼头和一条鱼送给了张慧琴。第二天，柳月芳走到张慧琴家的厨房窗口，闻到

fēi cháng xiāng de yú wèir   tā wǎng chú fáng li
非　常　香　的鱼味儿。她　往　厨　房　里
kàn le yí xià   wèn zhāng huì qín   nǐ zuò shén me
看了一下，问　张　慧琴："你做什么
cài zuò de zhè me xiāng
菜做得这么　香　？"

　　zhāng huì qín shuō   shì nǐ gěi wǒ de yú tóu
　　张　慧琴说："是你给我的鱼头
ya jìn lái cháng yì cháng ba
呀，进来尝　一　尝　吧！"

　　liǔ yuè fāng shuō   wǒ shì bù chī yú tóu de
　　柳月芳说："我是不吃鱼头的。"
tū rán   liǔ yuè fāng jué de zì jǐ yǒu diǎn bèn   tā
突然，柳月芳觉得自己有　点　笨。她
wèi shén me yào gào su zhāng huì qín tā bù chī yú
为什么要告诉张　慧琴她不吃鱼
tóu ne   zhāng huì qín hǎo xiàng míng bai le shén
头呢？张　慧琴好　像　明白了什
me   liǔ yuè fāng fēi cháng hòu huǐ   tā xīn li
么，柳月芳非　常　后悔[1]。她心里
xiǎng bǎ zì jǐ bù xǐ huan chī de dōng xi sòng gěi
想　，把自己不喜欢吃的东西送给
zhāng huì qín   zhāng huì qín xīn li yí dìng bù gāo
张　慧琴，张　慧琴心里一定不高
xìng
兴。

　　yīn wèi yú tóu de guān xi   liǔ yuè fāng hé
　　因为鱼头的关系，柳月芳和
zhāng huì qín liǎng jiā de guān xi fēi cháng hǎo
张　慧琴两家的关系非　常　好。

1 后悔: regret
E.g. 她没有去看她
的朋友，她很后悔。
E.g. 他学习不努力，
考试考得不好，他很
后悔。

méi yǒu yú de shí hou　　liǎng ge nǚ rén de guān xi yě
没　有　鱼　的　时　候　，两　个　女　人　的　关　系　也

hěn hǎo　dàn shì yǒu le yú zhī hòu　tā men de guān
很　好　，但　是　有　了　鱼　之　后　，她　们　的　关

xi hǎo de jiù xiàng shì jiě jie hé mèi mei
系　好　得　就　像　是　姐　姐　和　妹　妹　。

　　tā men hù xiāng sòng zì jǐ zuò de hǎo chī de
　　她　们　互　相　　送　自　己　做　的　好　吃　的

cài　liǔ yuè fāng huì zuò yān yú　zhè shì dà jiā dōu zhī
菜　。柳　月　芳　会　做　腌　鱼　，这　是　大　家　都　知

dào de　měi nián tā yǒu nà me duō de yú　chī bu
道　的　。每　年　她　有　那　么　多　的　鱼　，吃　不

liǎo　jiù yān qǐ lái　hòu lái tā zuò de yān yú yuè lái
了　，就　腌　起　来　。后　来　她　做　的　腌　鱼　越　来

yuè hǎo chī　dàn shì　zhāng huì qín bù yí yàng　zhè
越　好　吃　。但　是　，张　慧　琴　不　一　样　，这

ge nǚ rén zuò shén me dōu hǎo chī　tā zuò de dōng
个　女　人　做　什　么　都　好　吃　。她　做　的　东

xi　liǔ yuè fāng dōu jué de hǎo chī　yǒu yí cì　liǔ
西　，柳　月　芳　都　觉　得　好　吃　。有　一　次　，柳

yuè fāng qù zhāng huì qín de jiā　kàn jiàn tā yí ge
月　芳　去　张　慧　琴　的　家　，看　见　她　一　个

rén zài chī fàn　méi yǒu cài　zhǐ yǒu yì wǎn tāng　liǔ
人　在　吃　饭　，没　有　菜　，只　有　一　碗　汤　，柳

yuè fāng cháng le yì diǎn　wèi dào zhēn bú cuò
月　芳　尝　了　一　点　，味　道　真　不　错　。

　　jū lín shēng de péng you hěn duō　péng you
　　居　林　生　的　朋　友　很　多　，朋　友

men cháng cháng dào tā jiā li chī fàn　liǔ yuè fāng
们　常　　常　　到　他　家　里　吃　饭　。柳　月　芳

cháng cháng qǐng zhāng huì qín bāng máng
常　常　请　张　慧琴　帮　忙　。

　　　zhāng huì qín yě hěn rè qíng　dà jiā dōu zhī
　　张　慧　琴也很热情。大家都知
dào　zhāng huì qín zhè ge rén　nǐ yào shì duì tā
道，张　慧琴这个人，你要是对她
hǎo　tā shén me dōu yuàn yì wèi nǐ zuò　zhāng huì
好，她什么都　愿意为你做。张　慧
qín zài liǔ yuè fāng jiā de chú fáng li bāng máng
琴在柳月芳家的厨房里帮　忙　¹，
jiù xiàng zài zì jǐ jiā li yí yàng　děng dào máng
就　像在自己家里一样　。等到忙
wán le　zhè liǎng ge nǚ rén cái kāi shǐ chī fàn　dōu
完了，这两个女人才开始吃饭，都
shì kè rén men méi chī wán de dōng xi　liǔ yuè fāng
是客人们没吃完的东西。柳月芳
jué de zhè yàng zuò bù hǎo　jiù ràng tā dài xiē dōng
觉得这样做不好，就让她带些东
xi huí jiā qù　kě shì　tā shén me yě bú yào　zhāng
西回家去，可是，她什么也不要。张
huì qín shuō　wǒ bǎ nà ge dà yú tóu ná huí jiā　jiù
慧琴说："我把那个大鱼头拿回家，就
xíng le
行了。"

　　　zhāng huì qín ài chī yú tóu　zhè yě méi shén me
　　张　慧琴爱吃鱼头，这也没什么
qí guài　liǔ yuè fāng zì jǐ méi yǒu chī yú tóu de xí
奇怪。柳月芳自己没有吃鱼头的习
guàn　tā de xí guàn yě yǐng xiǎng le zhàng fu hé
惯。她的习惯也影响了丈夫和

1 帮忙: give a hand, do a favor
E.g. 你需要帮忙吗? 我不需要，谢谢!
E.g. 我朋友很忙，我来帮忙。

ér zi   tā men yì jiā rén dōu bù chī yú tóu   yā tóu
儿子，他 们 一 家 人 都 不 吃 鱼 头 、鸭 头

shén me de   yě bù zhī dào wèi shén me   tā jué de
什 么 的。也 不 知 道 为 什 么，她 觉 得

chī nà xiē dōng xi yǒu diǎn yě mán   kàn jiàn zhè
吃 那 些 东 西 有 点 野 蛮 ¹，看 见 这

xiē dōng xi jiù bù xiǎng zhāng zuǐ   zhāng huì qín
些 东 西 就 不 想 张 嘴。张 慧 琴

duō cì quàn tā   ràng tā cháng yí xià tā hóng shāo
多 次 劝 她，让 她 尝 一 下 她 红 烧

de yú tóu   liǔ yuè fāng zhī dào tā zuò de yú tóu hěn
的 鱼 头。柳 月 芳 知 道 她 做 的 鱼 头 很

hǎo chī   kě shì   tā jiù shì bù gǎn cháng yì kǒu
好 吃，可 是，她 就 是 不 敢 尝 一 口。

zhāng huì qín shuō   nǐ bù chī yú tóu jiù chī bié de
张 慧 琴 说，你 不 吃 鱼 头 就 吃 别 的，

chī yì diǎn yú tóu lǐ miàn de cài   liǔ yuè fāng cháng
吃 一 点 鱼 头 里 面 的 菜。柳 月 芳 尝

le yì kǒu   wèi dào zhēn shì hǎo jí le   dàn shì   tā
了 一 口，味 道 真 是 好 极 了。但 是，她

jiù shì jué de bù shū fu
就 是 觉 得 不 舒 服。

　　jū lín shēng shì gàn bù   gěi tā sòng lǐ de rén
　　居 林 生 是 干 部，给 他 送 礼 的 人

hěn duō   liǔ yuè fāng gào su lín jū   tā sòng gěi
很 多。柳 月 芳 告 诉 邻 居，她 送 给

zhāng huì qín de yú tóu dōu kě yǐ yòng qì chē
张 慧 琴 的 鱼 头 都 可 以 用 汽 车

zhuāng le   dà jiā dōu zhī dào tā men liǎng jiā guān
装 了。大 家 都 知 道 他 们 两 家 关

1 **野蛮**: savage

yú yú tóu de gù shi　liǔ yuè fāng yì jiā yīn wèi bù chī
于 鱼 头 的 故 事。柳 月 芳 一 家 因 为 不 吃

yú tóu　yā tóu　jī tóu　jiù bǎ yú tóu　yā tóu　jī
鱼 头、鸭 头、鸡 头，就 把 鱼 头、鸭 头、鸡

tóu dōu gěi le zhāng huì qín　zhāng huì qín yě méi
头 都 给 了 张 慧 琴。张 慧 琴 也 没

shén me bù hǎo yì si　tā gēn lín jū shuō　liǔ yuè
什 么 不 好 意 思，她 跟 邻 居 说："柳 月

fāng jiā de rén shén me tóu dōu bù chī　jiù bǎ yú tóu
芳 家 的 人 什 么 头 都 不 吃，就 把 鱼 头

sòng gěi wǒ chī　yú tóu　yā tóu shén me de dōu shì
送 给 我 吃。鱼 头、鸭 头 什 么 的 都 是

hěn hǎo chī de
很 好 吃 的。"

hěn duō nián guò qù le　xiàn zài rén men bú zài
很 多 年 过 去 了，现 在 人 们 不 再

sòng yú le　liǔ yuè fāng hé zhāng huì qín liǎng jiā de
送 鱼 了。柳 月 芳 和 张 慧 琴 两 家 的

guān xi yě bú xiàng yǐ qián nà me hǎo le　liǎng jiā
关 系 也 不 像 以 前 那 么 好 了。两 家

de nǚ rén hái shi lái lái wǎng wǎng　dàn méi yǒu le
的 女 人 还 是 来 来 往 往，但 没 有 了

yú de guān xi　zhè zhǒng biàn huà shì yīn wèi tā
鱼 的 关 系。这 种 变 化 是 因 为 他

men de shēng huó fā shēng le hěn dà biàn huà　dà
们 的 生 活 发 生 了 很 大 变 化。大

jiā bù zhī dào cóng nǎ nián kāi shǐ　rén men sòng lǐ
家 不 知 道 从 哪 年 开 始，人 们 送 礼

bú sòng yú le　guò nián de shí hou　rén men sòng
不 送 鱼 了。过 年 的 时 候，人 们 送

de dōng xi kāi shǐ yǔ wài miàn de shì jiè yǒu le lián
的 东 西 开 始 与 外 面 的 世 界 有 了 联

xì   rén men sòng xī yáng shēn huò zhě shān zhēn hǎi
系。人 们 送 西 洋 参 或 者 山 珍 海

wèi le   yú ne   hǎo xiàng yǐ jīng bèi rén men wàng
味 了。鱼 呢, 好 像 已 经 被 人 们 忘

le
了。

liǔ yuè fāng hé zhāng huì qín liǎng jiā de guān
柳 月 芳 和 张 慧 琴 两 家 的 关

xi biàn huà hái yǒu bié de yuán yīn   yí ge yuán
系 变 化 还 有 别 的 原 因。一 个 原

yīn shì   zhāng huì qín de ér zi   nǚ ér dōu zhǎng
因 是, 张 慧 琴 的 儿 子、女 儿 都 长

dà le   kāi shǐ zhèng qián le   tā yǒu ge ér zi hěn
大 了,开 始 挣 钱 了。她 有 个 儿 子 很

néng zhèng qián   xiàn zài tā jiā mǎi duō shao yú
能 挣 钱, 现 在 她 家 买 多 少 鱼

dōu mǎi de qǐ le   hái yǒu yí ge yuán yīn shì   jū
都 买 得 起 了。还 有 一 个 原 因 是,居

lín shēng de gōng zuò biàn le   yīn wèi tā nián jì
林 生 的 工 作 变 了。因 为 他 年 纪

dà le   yòu méi yǒu xué lì   tā méi yǒu bèi tí
大 了,又 没 有 学 历[1],他 没 有 被 提

shēng   xiàn zài dào le guò nián de shí hou   jū
升[2]。现 在 到 了 过 年 的 时 候,居

lín shēng jiā de mén qián bú xiàng yǐ qián nà me rè
林 生 家 的 门 前 不 像 以 前 那 么 热

nao le   méi yǒu rén gěi tā sòng lǐ le   yǒu shí
闹 了,没 有 人 给 他 送 礼 了。有 时

1 学历: usually refers to college background
E.g. 没有学历的人不好找工作。

2 提升: promote
E.g. 他由副经理提升为经理。

hou kàn dào yí ge rén ná zhe dōng xi wǎng tā jiā
候 看 到 一 个 人 拿 着 东 西 往 他 家
zǒu   què shì jū lín shēng zì jǐ
走 ， 却 是 居 林 生 自 己 。

　　xiàn zài rén men de shēng huó fā shēng le hěn
　　现 在 人 们 的 生 活 发 生 了 很
dà de biàn huà   jū lín shēng de jiā bú rè nao le   ér
大 的 变 化 。居 林 生 的 家 不 热 闹 了 ，而
zhāng huì qín jiā de shēng huó què kāi shǐ hóng huo
张 慧 琴 家 的 生 活 却 开 始 红 火
le   zhāng huì qín de dà ér zi jiào dōng fēng   dōng
了 。张 慧 琴 的 大 儿 子 叫 东 风 。东
fēng hé jǐ ge péng you cóng hǎi shàng zǒu sī xiāng
风 和 几 个 朋 友 从 海 上 走 私 香
yān   zhèng le hěn duō qián   zhāng huì qín zhī
烟 [1]， 挣 了 很 多 钱 。 张 慧 琴 知
dào zǒu sī xiāng yān hěn wēi xiǎn   shì fàn fǎ de shì
道 走 私 香 烟 很 危 险 ，是 犯 法 的 事
qing   tā pà ér zi chū shì   jiù bú ràng ér zi zǒu
情 。她 怕 儿 子 出 事 ，就 不 让 儿 子 走
sī xiāng yān le   dàn shì   tā yě bù zhī dào ràng
私 香 烟 了 。但 是 ， 她 也 不 知 道 让
ér zi zuò shén me   ér zi yě bù zhī dào yīng gāi
儿 子 做 什 么 ，儿 子 也 不 知 道 应 该
zuò shén me   zhāng huì qín shì yì jiā gōng chǎng
做 什 么 。 张 慧 琴 是 一 家 工 厂
de gōng rén   tā zhèng de qián hěn shǎo   yǒu yì
的 工 人 ，她 挣 的 钱 很 少 。有 一
tiān   zhāng huì qín zài jiē shang zǒu   lù guò yí
天 ， 张 慧 琴 在 街 上 走 ，路 过 一

1 走 私 香 烟 :smug-
gling cigarettes

ge yè shì   kàn jiàn hěn duō rén zài chī gè zhǒng
个 夜 市 1，看 见 很 多 人 在 吃 各 种

xiǎo chī   tā wén dào le gè zhǒng xiāng wèir
小 吃。她 闻 到 了 各 种 香 味儿。

zhāng huì qín kàn dào hěn duō rén zài chī dōng xi   tā
张 慧 琴 看 到 很 多 人 在 吃 东 西。她

zǒu dào yí ge tān zi miàn qián   cháng le cháng cài
走 到 一 个 摊 子 2 面 前，尝 了 尝 菜

de wèi dào   tā jué de tān zi shang de dōng xi bù zěn
的 味 道，她 觉 得 摊 子 上 的 东 西 不 怎

me hǎo chī   hái méi yǒu tā zuò de hǎo chī   jiù zài
么 好 吃，还 没 有 她 做 得 好 吃。就 在

zhè shí   zhāng huì qín yǒu le yí ge xīn de xiǎng fǎ
这 时，张 慧 琴 有 了 一 个 新 的 想 法。

zhāng huì qín yì biān zǒu yì biān xiǎng   zhè
张 慧 琴 一 边 走 一 边 想："这

bú shì tiān xià zuì hǎo de shēng yi ma   bù guǎn shè
不 是 天 下 最 好 的 生 意 吗？不 管 社

huì zěn me biàn huà   rén de zuǐ zǒng shì yào chī de
会 3 怎 么 变 化，人 的 嘴 总 是 要 吃 的

ya   yǒu rén xǐ huan zuò   yǒu rén xǐ huan chī   yì
呀！有 人 喜 欢 做，有 人 喜 欢 吃，一

diǎn yě bú fàn fǎ   zhè jiù shì tiān xià zuì ān quán de
点 也 不 犯 法，这 就 是 天 下 最 安 全 的

shēng yi
生 意 4。"

hòu lái zhāng huì qín de ér zi jiù kāi le yí ge
后 来 张 慧 琴 的 儿 子 就 开 了 一 个

fàn guǎn   yě jiù shì xiàn zài xiāng chūn shù jiē shang
饭 馆，也 就 是 现 在 香 椿 树 街 上

---

1 夜市: night market in a city

E.g. 很多人都喜欢逛夜市，吃小吃、买东西。

2 摊子: stands of vendors

E.g. 摊子上的东西很便宜。

3 社会: society

4 生意: business, trade

E.g. 你现在做什么生意？

E.g. 你饭馆的生意好吗？

fēi cháng yǒu míng de　　dōng fēng yú tóu guǎn
非　常　有　名　的 “东　风　鱼　头　馆 ”。

fàn guǎn zhǔ yào de cài shì yú tóu　fàn guǎn de bō
饭　馆　主　要　的　菜　是　鱼　头 。饭　馆　的　玻

li chuāng shang huà zhe dà yú tóu　fàn guǎn de
璃　窗　上　画　着　大　鱼　头 ，饭　馆　的

cài dān shang xiě zhe　bái tāng yú tóu　　hóng
菜　单　上　写　着 “白　汤　鱼　头 ”、“红

shāo yú tóu　děng děng　dōng fēng yú tóu guǎn de
烧　鱼　头 ”等　等 。东　风　鱼　头　馆　的

chú shī　dà jiā dōu néng cāi dào　jiù shì zhāng
厨　师 [1]，大　家　都　能　猜　到 ，就　是　张

huì qín
慧　琴 。

　　xiāng chūn shù jiē de rén men bǎ qián kàn de
　　香　椿　树　街　的　人　们　把　钱　看　得

hěn zhòng yào　kě shì　tā men dōu yuàn yì qù dōng
很　重　要 ，可　是 ，他　们　都　愿　意　去　东

fēng yú tóu guǎn chī yú　zhè jǐ nián lái　dōng fēng
风　鱼　头　馆　吃　鱼 。这　几　年　来 ，东　风

yú tóu guǎn de shēng yi hěn hóng huo　zhāng huì qín
鱼　头　馆　的　生　意　很　红　火 。张　慧　琴

měi tiān zuò de bái tāng yú tóu de xiāng wèir
每　天　做　的　白　汤　鱼　头　的　香　味 儿

cháng cháng xī yǐn zhe hěn duō rén　tā de shēng yi
常　常　吸　引　着　很　多　人 ，她　的　生　意

yě jiù yuè lái yuè hǎo　zhāng huì qín méi yǒu zài
也　就　越　来　越　好 。张　慧　琴　没　有　在

diàn shì shang　bào zhǐ shang zuò guǎng gào　tā de
电　视　上 、报　纸　上　做　广　告 ，她　的

1 厨师: cook

guǎng gào jiù shì yú tóu de xiāng wèi
广 告 就 是 鱼头 的 香 味。

　　xiāng chūn shù jiē de lín jū men qù dōng fēng yú
　　香 椿 树街的邻居们去东 风 鱼
tóu guǎn chī fàn kě yǐ dǎ bā zhé hěn duō cóng lái
头 馆 吃饭,可以打八折¹。很多 从 来
bú jìn fàn guǎn de rén yě qù le yú tóu guǎn qù
不进饭馆的人也去了鱼头 馆 ,去
cháng yì cháng zhāng huì qín zuò de yú tóu cài zhǐ
尝 一尝 张 慧琴做的鱼头菜。只
yǒu liǔ yuè fāng yì jiā hái méi qù guò kě néng shì tā
有柳月芳一家还没去过,可能是她
jiā yǐ qián chī yú chī de tài duō le lín jū men dōu
家以前吃鱼吃得太多了。邻居们都
zhī dào liǔ yuè fāng hé zhāng huì qín guān xi hǎo
知道柳月芳和张 慧琴关系好,
dàn dōu bù zhī dào wèi shén me liǔ yuè fāng yì jiā bú
但都不知道为什么柳月芳一家不
qù yú tóu fàn guǎn yǒu de rén cāi kě néng shì
去鱼头饭馆 。有的人猜,可能是
zhāng huì qín fā jiā le ér jū lín shēng xiàn zài bú
张 慧琴发家²了,而居林 生 现在不
shì shén me zhòng yào gàn bù rén men duì tā yě jiù
是什么重要干部,人们对他也就
bú xiàng yǐ qián nà me rè qíng le liǔ yuè fāng gēn
不像以前那么热情了。柳月芳跟
zhāng huì qín de lái wǎng yě shǎo le dàn shì tā
张 慧琴的来往也少了,但是她
cháng cháng duì bié rén shuō wǒ bú qù yú tóu
常 常 对别人说:"我不去鱼头

1 打八折: give a 20% discount
E.g. 这家商店在打折,东西很便宜,我们去看看吧!

2 发家: get rich
E.g. 很多开饭馆的人都发家了。
E.g. 她开了一家服装商店,生意很好,一年以后就发家了。

guǎn de yuán yīn shì wǒ men jiā bù chī yú tóu   wǒ
馆 的 原 因 是 我 们 家 不 吃 鱼 头 ， 我

men yì jiā rén shén me tóu dōu bù chī
们 一 家 人 什 么 头 都 不 吃 ！"

zhāng huì qín méi yǒu wàng liǔ yuè fāng yǐ qián
张 慧 琴 没 有 忘 柳 月 芳 以 前

sòng gěi tā de nà me duō dōng xi   tā yǐ jīng qǐng le
送 给 她 的 那 么 多 东 西 。 她 已 经 请 了

liǔ yuè fāng hěn duō cì   rè qíng de qǐng liǔ yuè fāng
柳 月 芳 很 多 次 ， 热 情 地 请 柳 月 芳

yì jiā qù yú tóu guǎn zuò kè   ér qiě shì miǎn fèi de
一 家 去 鱼 头 馆 做 客 ， 而 且 是 免 费¹的 。

zhāng huì qín duì liǔ yuè fāng shuō   wǒ zhī dào nǐ
张 慧 琴 对 柳 月 芳 说 ："我 知 道 你

men bù chī yú tóu   wǒ zuò bié de gěi nǐ men chī
们 不 吃 鱼 头 ， 我 做 别 的 给 你 们 吃 ，

hǎo ma   liǔ yuè fāng shuō   nǐ bú yòng kè qi
好 吗 ？"柳 月 芳 说 ："你 不 用 客 气 ，

nǐ men shì zuò shēng yi de   wǒ men zěn me néng
你 们 是 做 生 意 的 ， 我 们 怎 么 能

miǎn fèi ne   zhāng huì qín shuō   bié rén bù néng
免 费 呢 。"张 慧 琴 说 ："别 人 不 能

miǎn fèi   nǐ men yì jiā rén kě yǐ bái chī   wǒ yǐ
免 费 ， 你 们 一 家 人 可 以 白 吃²！我 以

qián chī guò nǐ men jiā duō shao dōng xi   bú yě shì
前 吃 过 你 们 家 多 少 东 西 ， 不 也 是

bái chī de ma   liǔ yuè fāng hái shi shuō   yǐ qián
白 吃 的 嘛 。"柳 月 芳 还 是 说 ："以 前

shì yǐ qián   xiàn zài shì xiàn zài   bù yí yàng le   bù
是 以 前 ， 现 在 是 现 在 ， 不 一 样 了 ， 不

1 免费: free of charge

E.g. 很多旅馆的早
餐是免费的。

E.g. 这个公园不收
门票，可以免费进去。

2 白吃: 免费吃; 白, 免
费

E.g. 这顿饭白吃，这
本书白送。

1 心情: mood
E.g. 最近他心情不好。

2 懂感情: understand other's feelings

3 感动: move; be moved
E.g. 他给了我很多帮助，我很感动。
E.g. 她病了，我们去看她，她很感动。

4 包间: a separated private room in a restaurant
E.g. 这家饭馆有很多小包间。

5 诚意: sincerity
E.g. 为了感谢你的帮助，我送给你一件礼物。这是我向你表示的诚意。

yí yàng le　　zhāng huì qín gǎn jué dào zhè jǐ nián
一样了。"张慧琴感觉到这几年

liǔ yuè fāng xīn qíng bù hǎo　bú xiàng yǐ qián le
柳月芳心情¹不好，不像以前了。

xiàn zài zhāng huì qín fā jiā le　yǒu qián le　zhāng
现在张慧琴发家了，有钱了。张

huì qín hěn dǒng gǎn qíng　tā xiǎng　yí dìng yào
慧琴很懂感情²，她想，一定要

bǎ liǔ yuè fāng yì jiā qǐng lái　tā duì liǔ yuè fāng
把柳月芳一家请来。她对柳月芳

shuō　　bù guǎn nǐ shuō shén me　wǒ dōu yào qǐng
说："不管你说什么，我都要请

nǐ men yì jiā　nǐ men yí dìng děi lái
你们一家。你们一定得来！"

zhāng huì qín de huà gǎn dòng le liǔ yuè fāng
　张慧琴的话感动³了柳月芳。

yǒu yì tiān　liǔ yuè fāng dài zhe zhàng fu jū lín
有一天，柳月芳带着丈夫居林

shēng hé ér zi jū qiáng　hái yǒu ér zi de nǚ péng
生和儿子居强，还有儿子的女朋

you　yì qǐ qù le　dōng fēng yú tóu guǎn　zhāng
友，一起去了"东风鱼头馆"。张

huì qín bǎ tā men yì jiā qǐng jìn le yí ge hěn xīn de
慧琴把他们一家请进了一个很新的

bāo jiān　guāng lěng cài jiù bǎi le yì zhuō zi　kě
包间⁴。光冷菜就摆了一桌子，可

yǐ kàn chū zhāng huì qín de chéng yì　zhāng huì
以看出张慧琴的诚意⁵。张慧

qín zuò le liǔ yuè fāng zuì ài chī de cài　liǔ yuè fāng
琴做了柳月芳最爱吃的菜，柳月芳

fēi cháng gǎn dòng　zhāng huì qín hái zhǔn bèi le jū
非　常　感　动。张　慧　琴　还　准　备　了居

lín shēng hé jū qiáng xǐ huan chī de cài　liǔ yuè fāng
林　生　和居　强　喜　欢　吃　的菜。柳　月　芳

zhī dào zhāng huì qín shì zài gǎn xiè tā　tā xiǎng qǐ
知　道　张　慧　琴　是　在　感　谢　她。她　想　起

le yǐ qián de xǔ xǔ duō duō de yú　xǔ xǔ duō duō
了以　前　的许　许　多　多　的鱼，许　许　多　多

de yú tóu　tā shuō　zhāng huì qín shì zhēn xīn de
的鱼　头。她　说：" 张　慧　琴　是　真　心　地

qǐng wǒ men　chī ba　lái le jiù bú yào kè qi le
请　我　们，吃　吧，来　了就　不　要　客　气了，

chī
吃！"

zhèng rú zhāng huì qín shuō de nà yàng　tā
正　如　张　慧　琴　说　的那　样，他

men de zhuō shang méi yǒu yú tóu　yīn wèi tā men
们　的桌　上　没　有　鱼　头，因　为他　们

bù chī yú tóu　kě shì dāng zhāng huì qín shàng yā zi
不吃鱼头。可是当张慧琴上鸭子

tāng de shí hou　jū qiáng de nǚ péng you xiǎo shēng
汤　的时　候，居　强　的女　朋　友　小　声

de wèn jū qiáng　zěn me shì yā zi tāng　wǒ yǐ
地问居强："怎么是鸭子汤？我以

wéi shì yú tóu tāng ne　zhè jiā guǎn zi bú shì yú tóu
为是鱼头汤呢！这家馆子不是鱼头

tāng zuì yǒu míng ma
汤最有名吗？"

dà jiā dōu tīng jiàn le nà gū niang shuō de huà
大家都听见了那姑娘说的话。

dà jiā zhī dào tā xiǎng chī yú tóu　　zhāng huì qín xiào
大 家 知 道 她 想 吃 鱼 头 。张 慧 琴 笑

zhe kàn le liǔ yuè fāng yí xià　liǔ yuè fāng kàn kan
着 看 了 柳 月 芳 一 下 。柳 月 芳 看 看

zhàng fu　yòu kàn kan ér zi　zuì hòu yòu kàn guō [1]
丈 夫 ，又 看 看 儿 子 ，最 后 又 看 锅 [1]

li de yā zi　　yā zi méi yǒu tóu　zhāng huì qín
里 的 鸭 子 —— 鸭 子 没 有 头 ，张 慧 琴

bǎ yā zi tóu ná diào le　jū qiáng xiǎo shēng duì nǚ
把 鸭 子 头 拿 掉 了 。居 强 小 声 对 女

péng you shuō zhe shén me　liǔ yuè fāng cāi de chū
朋 友 说 着 什 么 。柳 月 芳 猜 得 出

lái　jū qiáng yí dìng shì shuō　　wǒ men yì jiā bù
来 ，居 强 一 定 是 说 ：“ 我 们 一 家 不

chī yú tóu　　tā de nǚ péng you què xiǎo shēng
吃 鱼 头 。” 他 的 女 朋 友 却 小 声

shuō　kě shì　nǐ qián tiān hái chī le yú tóu ne
说 ：“ 可 是 ，你 前 天 还 吃 了 鱼 头 呢 。”

liǔ yuè fāng tīng de hěn qīng chu　jū qiáng kàn le fù
柳 月 芳 听 得 很 清 楚 。居 强 看 了 父

mǔ yì yǎn　xiǎo shēng duì nǚ péng you shuō　　wǒ
母 一 眼 ，小 声 对 女 朋 友 说 ：“ 我

shì péi nǐ chī de
是 陪 你 吃 的 ！”

zhāng huì qín xiào le qǐ lái　tā kàn zhe jū qiáng
张 慧 琴 笑 了 起 来 ，她 看 着 居 强

hé tā de nǚ péng you　duì jū qiáng shuō　shén me péi
和 他 的 女 朋 友 ，对 居 强 说 ：“ 什 么 陪

nǐ chī péi tā chī de　yú tóu zuì hǎo chī　chī guò le nǐ
你 吃 陪 他 吃 的 ，鱼 头 最 好 吃 ，吃 过 了 你

---

1 锅: pot

jiù zhī dào le ba　nǐ péi nǚ péng yǒu chī　hái yīng gāi
就 知 道 了 吧？你 陪 女 朋 友 吃，还 应 该
péi nǐ fù mǔ chī　zhāng huì qín kàn zhe liǔ yuè fāng
陪 你 父 母 吃！" 张 慧琴 看 着 柳 月 芳，
shuō　zěn me yàng　zhè yú tóu bù chī bù xíng　jīn
说：" 怎 么 样，这 鱼 头 不 吃 不 行，今
tiān fēi chī yú tóu bù kě le
天 非 吃 鱼 头 不 可 了。"

　　liǔ yuè fāng gǎn dào hěn nán bàn　xiǎng le yí
　　柳 月 芳 感 到 很 难 办，想 了 一
xià　shuō　wǒ chī dōng xi hěn suí biàn　wèn wen
下，说：" 我 吃 东 西 很 随 便，问 问
lǎo jū chī bu chī　yú tóu tā chī bu chī　zhāng huì
老居 吃 不 吃，鱼 头 他 吃 不 吃？" 张 慧
qín jué de liǔ yuè fāng duì yú tóu de tài du yǒu diǎn
琴 觉 得 柳 月 芳 对 鱼 头 的 态 度 有 点
gǎi biàn　mǎ shàng shuō　lǎo jū　a　jiù kàn nǐ
改 变，马 上 说：" 老居 1 啊，就 看 你
de jué dìng le　jū lín shēng zhèng zài tī yá　yì
的 决 定 了！" 居 林 生 正 在 剔牙，一
tīng shuō ràng tā zuò jué dìng　tā xiǎng　zhè bú shì
听 说 让 他 作 决 定，他 想，这 不 是
shén me zhòng yào wèn tí　yú shì shuō　shàng yú
什 么 重 要 问 题，于 是 说：" 上 鱼
tóu jiù shàng yú tóu ba　shéi ài chī shéi chī　yú tóu
头 就 上 鱼 头 吧，谁 爱 吃 谁 吃，鱼 头
běn lái jiù kě yǐ chī ma
本 来 就 可 以 吃 嘛。"

　　zhāng huì qín jiù gěi liǔ yuè fāng yì jiā shàng le
　　张 慧琴 就 给 柳 月 芳 一 家 上 了

1 老居: 老, prefix of a
person's surname to
indicate seniority
E.g. 老王，老张……

鱼头。让 张 慧琴 高兴的是，居林
生 和柳月 芳 终 于吃了她做的 红
烧鱼头。她又给他们 上 了一盆鱼
头 汤 ，夫妻 两 人也 没 说 什么。
张 慧琴后来 向 人们 说："我也
不知道为 什么， 我就是 想 让他们
吃我做的鱼头，看他们一家吃了我
做的鱼头，我就心安了。"她常 常
跟人说："居林 生 说'鱼头味道
很不错嘛'，柳月 芳 说'没 想 到
鱼头这么好吃。'"

居 强 那天在鱼头 馆 写了一首
小诗[1]："年 年 有鱼，年 年 有余，
有鱼的世界多 么 美丽，有鱼的世界
多么富裕！"

1 诗: poem

qí shí jū qiáng de shī shì tā zài yú tóu fàn guǎn
其实，居 强 的诗是他在鱼头饭 馆

chī yú shí hou de gǎn shòu   zhāng huì qín hěn lǐ jiě
吃鱼时候的感受¹。张 慧琴很理解

jū qiáng de xīn qíng   liǔ yuè fāng hé jū lín shēng duì
居 强 的心情。柳月芳和居林生对

ér zi de shī hěn gǎn xìng qù   ér jū qiáng de nǚ péng
儿子的诗很感兴趣。而居强的女朋

you què yì biān hē zhe yú tāng yì biān shuō   bié
友却一边喝着鱼汤一边说："别

niàn le   bié niàn le   shén me pò shī
念了，别念了，什么破²诗！"

1 感受: experience,
feeling, taste
E.g. 看了这个电影，
他的感受很深。

2 破: lousy, shabby,
poor
E.g. 谁也不喜欢看
那个破电影。

This story is abridged according to Su Tong's short story
People's Fish, *which was published on* Xiaoshuo Yuebao （小说月
报）, *No.11, 2002.* People's Fish *won the eleventh Baihua Award*
（百花奖）.

About the author Su Tong(苏童):

Su Tong is one of the most celebrated writers of China today. He
was born in 1963 in Suzhou. He entered the Chinese Department of
Beijing Normal University in 1980. Now he is a member of Chinese
Writers' Association. He began to publish his works in 1983. He is
well-known through the film 大红灯笼高高挂 directed by Zhang
Yimou, which was adapted from his story 妻妾成群. He has

published novels: 米, 紫檀木球, 我的帝王生涯; his collections of novella: 妻妾成群, 红粉; his collections of short stories: 伤心的舞蹈, 罂粟之家, 祭奠红马, etc. His short story 妻妾成群 won the fourth Baihua Award（百花奖）of *Xiaoshuo Yuebao* (小说月报). Some of his works （我的帝王生涯, 大红灯笼高高挂, etc.) have been translated into English, French, German, Swedish, Italian, Dutch, etc. Su Tong is a familiar name to readers of Chinese contemporary literature.

思考题：

1. 为什么中国人过春节喜欢吃鱼？
2. 你怎么理解故事的标题"人民的鱼"？
3. 十多年以后，柳月芳的家庭发生了什么变化？
4. 张慧琴的家庭发生了什么变化？
5. 柳月芳和张慧琴两家都发生了变化，他们两家的关系怎么样？
6. 柳月芳不想去张慧琴的饭馆吃鱼，后来她一家人又为什么去了呢？
7. 故事中的语言很幽默，比如，"街上的猫都往居林生的家跑呢"。你还能找出别的例子吗？

二、公园里发生了什么？

èr　gōngyuán li fā shēng le shénme

yuánzhù　wánghuáiyǔ
原著：王 怀宇

三、公园里发生了什么?

Guide to reading:

In China, there are many stories of *junzi* (君子) and *xiaoren* (小人). *Junzi* (君子) is often regarded as a man of virtue, while *xiaoren* (小人) refers to a man of vile character. Confucius once said, "A man of virtue always aids others in doing good, a lowly man aids evil conduct. (君子成人之美, 小人成人之恶。)" In China, the character of *junzi* has been highly admired since the old times. "Aiding others in doing good (成人之美)" is a virtue of a person. The following selection, *What Happened in the Park*, is a story of college students living on campus and studying together for four years. In this story, the first person "I" is very much sensitive to his pride, a concept in Chinese called "face (面子)". For "face", he has a fight with his classmate, Yi Feng in a park. However, he later comes to realize that he has made a big mistake in believing that he will save face through violence. "I" has bitter feelings of remorse about his mean and immoral behavior since his graduation, so he decided to write the truth about the fight in the park.

故事正文：

shàng dà xué de shí hou wǒ hé wǒ de tóng xué
上 大学 的 时 候，我 和 我 的 同 学
jué dòu guò yí cì wǒ de tóng xué jiào yī fēng
决 斗[1] 过 一 次。我 的 同 学 叫 伊锋。
zhè cì jué dòu bú shì wéi le yí ge piào liang de nǚ
这 次 决 斗 不 是 为 了 一 个 漂 亮 的 女
hái zhè cì jué dòu gēn nǚ rén méi guān xi wǒ
孩。这 次 决 斗 跟 女 人 没 关 系，我
men shì yīn wèi miàn zi jìn xíng de jué dòu
们 是 因 为 "面 子"[2] 进 行 的 决 斗。
wǒ hěn ài miàn zi tā yě hěn ài miàn zi zài jué
我 很 爱 面 子，他 也 很 爱 面 子。在 决
dòu zhī hòu yě jiù shì wǒ shèng lì zhī hòu wǒ de
斗 之 后，也 就 是 我 胜 利 之 后，我 的
nǚ péng you xiǎo wén yǒng yuǎn de lí kāi le wǒ
女 朋 友 晓 雯 永 远 地 离 开 了 我。

yǒu yì tiān wǎn shang wǒ de xīn qíng bù yú
有 一 天 晚 上，我 的 心 情[3] 不 愉
kuài wǒ hé nǚ péng you xiǎo wén cóng tú shū guǎn
快。我 和 女 朋 友 晓 雯 从 图 书 馆
chū lái yì qǐ huí sù shè yí lù shang wǒ men hěn
出 来，一 起 回 宿 舍。一 路 上，我 们 很
shǎo shuō huà xiǎo wén de xīn qíng yě shòu le wǒ
少 说 话。晓 雯 的 心 情 也 受 了 我
de yǐng xiǎng wǒ men zǒu dào nǚ shēng sù shè lóu
的 影 响。我 们 走 到 女 生 宿 舍 楼
qián xiǎo wén shén me dōu méi shuō lián yì shēng
前，晓 雯 什 么 都 没 说，连 一 声

1 决斗: a fight

2 面子: reputation,
face
"爱面子","要面子",
to save one's face;
"丢面子","没面子",
to lose one's face
E.g. 为了面子,他只
好帮助她。
E.g. 你的话真让他
丢面子。

3 心情: mood; state of
mind
E.g. 今天他考试考
得很好,心情也特别
好。
E.g. 我的书包丢了,
我的心情很不好。

yě méi shuō   tóu yě méi huí yí xià
"Bye-bye"也 没 说 ，头 也 没 回 一 下，

jiù zǒu jìn le nǚ shēng sù shè lóu
就 走 进 了 女 生 宿 舍 楼。

wǒ yí ge rén lái dào nán shēng sù shè lóu   xīn
我 一 个 人 来 到 男 生 宿 舍 楼，心

qíng gèng huài le   zhè shí sù shè lóu li chū lái jìn qù
情 更 坏 了。这 时 宿 舍 楼 里 出 来 进 去

de rén hěn duō   wǒ gù yì de zhuàng le hěn duō
的 人 很 多。我 故 意[1]地 撞 了 很 多

rén   wǒ hěn xiǎng zhǎo rén dǎ jià   wǒ dǎ bié rén
人，我 很 想 找 人 打 架[2]。我 打 别 人，

huò zhě bié rén dǎ wǒ   dōu xíng   wǒ zhuàng le hǎo
或 者 别 人 打 我，都 行。我 撞 了 好

jǐ ge rén   yě xǔ tóng xué men dōu rèn wéi wǒ hē jiǔ
几 个 人，也 许 同 学 们 都 认 为 我 喝 酒

le   dōu bù hé wǒ dǎ jià   wǒ hěn shùn lì de jiù
了，都 不 和 我 打 架。我 很 顺 利 地 就

chuān guò le nà me duō de lóu tī   chuān guò nà
穿 过 了 那 么 多 的 楼 梯，穿 过 那

me duō rén   huí dào le wǒ de sù shè   méi rén hé
么 多 人，回 到 了 我 的 宿 舍。没 人 和

wǒ dǎ jià   ràng wǒ hěn shī wàng   wǒ tuō xià niú zǎi
我 打 架，让 我 很 失 望。我 脱 下 牛 仔

kù   zhǔn bèi shàng chuáng tǎng xià
裤[3]，准 备 上 床 躺 下。

jiù zài zhè ge shí hou   wǒ de tóng xué yī fēng
就 在 这 个 时 候，我 的 同 学 伊 锋

jìn lái le   tóng xué men yě cháng cháng jiào tā   rì
进 来 了。同 学 们 也 常 常 叫 他 "日

1 故意: on purpose; deliberately

E.g. 她故意地大声说话，让别人都知道她来了。

E.g. 他不小心把花瓶碰掉了，他不是故意的。

2 打架: fight

E.g. 这个孩子经常和别人打架。

3 牛仔裤: jeans

本武士[1]"。伊锋是学校足球队的前锋[2]。上个星期的足球比赛,我们学校的足球队输了。他的心情一直不好。他喝了酒,然后,就到宿舍里找同学打架。同学们知道他喝了酒,都不跟他打架。要是我那天晚上心情好,我也不会跟伊锋打架。他酒喝多了,心情肯定不好。他不喝酒的时候对同学很好,我不会跟他计较[3]什么。

可是,那天晚上,我的心情很糟糕。我们两个人心情都不好,都想打一架。看见他走进来,我突然停下来,好像等着什么。我心里有点紧张[4],我面对的是一个很

1 武士: knight

2 前锋: vanguard

3 计较 : argue about trifles; be angry about trifles

E.g. 这件小事就算了,你别和他计较了。

4 紧张: nervous

E.g. 不要紧张,有话慢慢地说。

E.g. 有的学生在课堂上回答老师问题时,很紧张。

qiáng zhuàng de zú qiú qián fēng　　yī fēng
强　壮 ¹的足球 前 锋 —— 伊锋 。

wǒ de yí ge tóng wū jiào lǎo wǔ　lǎo wǔ de
我 的一个 同 屋 叫 老五，老五的

chuáng kào jìn mén kǒu　yī fēng de shǒu zài lǎo wǔ
床 靠近门口。伊锋的手在老五

de liǎn shang mō le yí xiàr　zhī hòu　jiù xiàng wǒ
的脸 上 摸了一下儿之后，就 向 我

zǒu guò lái tā duì wǒ shuō　hǎo a　nǐ xiǎo zi
走 过 来。他对我 说：" 好啊，你小子

yě zài　zuó tiān wǒ méi jiàn zhe nǐ　jīn tiān suàn shì
也在，昨天我没见着你，今天 算 是

yù jiàn nǐ le　nǐ yǐ wéi nǐ gè zi gāo wǒ jiù pà nǐ
遇见你了。你以为你个子高我就怕你

ya　suī rán nǐ yǒu ge piào liang de nǚ péng you　yě
呀，虽然你有个漂 亮 的女 朋 友，也

méi yòng　yī fēng píng shí huà bù duō　hē le jiǔ
没用 。"伊锋 平时话不多，喝了酒

yǐ hòu tā de huà jiù duō le　tā yì biān shuō yì
以后他的话就多了。他一边 说 一

biān bǎ shǒu shēn xiàng wǒ de liǎn
边把手 伸 向我的脸。

rú guǒ shì píng shí　wǒ yě bú huì tài shēng qì
如果是 平 时，我也不会太 生 气，

yī fēng mō liǎng xià yě jiù suàn le　kě shì jīn tiān
伊锋 摸 两 下也就 算 了。可是今 天

wǒ de xīn qíng bù hǎo　huǒ qì² fēi cháng dà
我的心 情不好，火 气²非 常 大。

wǒ shēng qì de hǎn le yì shēng　gǔn
我 生 气地喊了一 声 ："滚³！"

---

1 强壮: strong
E.g. 他经常锻炼身
体，所以他的身体很
强壮。

2 火气: anger; hot tem-
per
E.g. 年轻人火气大。
E.g. 他们两个人火气
都很大，就打了起来。

3 滚: (in an angry tone,
impolite) get away;
scram

yī fēng tū rán bú xiào le　tā shuō　　nǐ shuō
伊锋 突然 不 笑 了，他 说："你 说

shén me　nǐ zài shuō yí biàn
什 么？你 再 说 一 遍！"

wǒ yòu hǎn le yì shēng　wǒ ràng nǐ gǔn
我 又 喊 了 一 声："我 让 你 滚！"

yī fēng zhàn zhù le　yǎn jing zhí zhí de kàn zhe
伊锋 站 住 了，眼 睛 直 直 地 看 着

wǒ
我。

wǒ yí ge zì yí ge zì de shuō　　wǒ
我 一 个 字 一 个 字 地 说："我 ——

ràng　　nǐ　　gěi　　wǒ　　gǔn　　chū
让 —— 你 —— 给 —— 我 —— 滚 —— 出

qù
—— 去！"

yī fēng shuō　　nǐ tā mā de　　tā hěn kuài
伊锋 说："你 他 妈 的！"[1] 他 很 快

de tī le yì jiǎo
地 踢 了 一 脚。

tā chuān de shì tuō xié　tuō xié cóng wǒ de liǎn
他 穿 的 是 拖 鞋，拖 鞋 从 我 的 脸

shang fēi le guò qù
上 飞 了 过 去。

wǒ yí xià zi jiù huǒ le　hěn xiōng　de duì tā
我 一 下 子 就 火 了，很 凶[2] 地 对 他

shuō　　nǐ děng wǒ bǎ kù zi chuān shang　zán men
说："你 等 我 把 裤 子 穿 上，咱 们

dào wài bian qù dǎ
到 外 边 去 打！"

1 "你他妈的" is a
dirty word. It is ob-
scene language.

2 凶: fierce
E.g. 他的火气很大，
样子也很凶。

伊锋也很凶地说："好！"然
后他走出了我的宿舍，在门外边
等我。

也许我真的想打架。我很快地
穿好牛仔裤，没有听同学们的
劝阻[1]，很快地来到门外。

我说："我们到宿舍楼外面
去！"

伊锋没有再说话，但我能感
觉到他的火气很大。

当我们走到宿舍楼的大门时，
门口的老头正在锁门。他不知道
我们去干什么，不管我们说什
么，他就是不同意我们出去。为了
学生的安全，宿舍楼晚上都要

1 **劝阻**: persuade not to do something; 劝, advise

E.g. 他想跟他的同屋吵架，大家劝阻他别吵了。

把大门锁上，学生不能随便出去，外面的人也不能随便进来。我们没办法出去了。

我们马上来到了宿舍楼二层的一个水房，因为从这里我们可以跳出去。这时，我宿舍的同学们赶来了。他们都来劝阻我们不要打架，我们只好回宿舍了。

伊锋最后说："明天！"

我说："明天就明天。"

我回到宿舍，同学们劝我不要和伊锋计较，他喝酒了。

我还在生气，"他太凶了，他为什么那么凶？"

老五说："你不应该说那个'滚'

zì　yī fēng jiā xiāng de rén zuì tǎo yàn　zhè ge zì　　nǐ
字，伊 锋 家 乡 的 人 最 讨 厌 [1] 这 个 字，你

shuō ràng tā gǔn　　jiù děng yú mà²tā
说 让 他 滚，就 等 于 骂 [2] 他。"

　　wǒ shuō　　　mà tā yòu zěn me yàng　pà mà jiù
　　我 说："骂 他 又 怎 么 样？怕 骂 就

bié lái zhǎo má fan
别 来 找 麻 烦！"

　　lǎo wǔ shuō　　　yǒu yí cì　　tā hé wǒ shuō
　　老 五 说："有 一 次，他 和 我 说

zhe wán　wǒ shuō le　gǔn　　yī fēng mǎ shàng
着 玩，我 说 了 '滚'，伊 锋 马 上

shēng qì de gào su wǒ　　bú yào zài tā miàn qián
生 气 地 告 诉 我，不 要 在 他 面 前

shuō　gǔn　　　gǔn　zài tā jiā xiāng shì mà rén
说 '滚'，'滚' 在 他 家 乡 是 骂 人

de huà　　nǐ yí duì tā shuō　　gǔn　　wǒ jiù jué
的 话。你 一 对 他 说 '滚'，我 就 觉

de shì qing yán zhòng le
得 事 情 严 重 了。"

　　tīng le lǎo wǔ de huà　wǒ zhī dào le yī fēng
　　听 了 老 五 的 话，我 知 道 了 伊 锋

wéi shén me huǒ qì nà me dà　　dàn shì wǒ hái shi
为 什 么 火 气 那 么 大。但 是 我 还 是

shuō　　　mà le tā zěn me yàng　　wǒ cái bù guǎn tā
说："骂 了 他 怎 么 样，我 才 不 管 他

nà me duō ne　　wǒ zhè yàng shuō shì yīn wèi wǒ ài
那 么 多 呢。"我 这 样 说 是 因 为 我 爱

miàn zi　zhè shì wǒ de xìng gé
面 子，这 是 我 的 性 格。

1 讨厌: hate
E.g. 她很讨厌这里
的气候。
E.g. 这种病不好治，
很讨厌。

2 骂: curse
E.g. 这个人很讨厌，
他一张嘴就骂人。

dì èr tiān shì xīng qī wǔ　shàng wǔ shì wài yǔ
第 二 天 是 星 期 五， 上 午 是 外 语

kè　wǒ men nián jí de wài yǔ kè yǒu jiǔ ge bān　bú
课。我 们 年 级 的 外 语 课 有 九 个 班，不

zài tóng yí ge jiào xué lóu shàng kè　wǒ hé yī fēng
在 同 一 个 教 学 楼 上 课。我 和 伊 锋

bú zài yí ge bān　suǒ yǐ shàng wǔ wǒ men méi yǒu
不 在 一 个 班， 所 以 上 午 我 们 没 有

jī huì　jiàn miàn
机 会 [1] 见 面。

zhōng wǔ chī fàn de shí hou　wǒ yuǎn yuǎn de kàn
中 午 吃 饭 的 时 候，我 远 远 地 看

jiàn yī fēng zài lìng yì zhāng zhuō zi shang chī fàn
见 伊 锋 在 另 一 张 桌 子 上 吃 饭。

wǒ xīn li xiǎng　zuó wǎn de shì kě néng jiù
我 心 里 想， 昨 晚 的 事 可 能 就

suàn wán le　zuó tiān wǎn shang dà jiā dōu yào
算 完 了。昨 天 晚 上 大 家 都 要

miàn zi　dōu hěn shēng qì　suǒ yǐ cái xiǎng dǎ jià
面 子，都 很 生 气，所 以 才 想 打 架。

chī wán wǔ fàn　wǒ zǒu dào yī fēng miàn qián
吃 完 午 饭，我 走 到 伊 锋 面 前，

xiào zhe duì tā shuō　zán men dōu shì gē menr
笑 着 对 他 说："咱 们 都 是 哥 们 儿 [2]，

yǐ hòu bié dǎ jià le　shì bu shì
以 后 别 打 架 了。是 不 是？"

yī fēng kàn le kàn wǒ　shén me yě méi shuō
伊 锋 看 了 看 我， 什 么 也 没 说。

tā píng shí zǒng shì zhè yàng zi
他 平 时 总 是 这 样 子。

1 机会：chance, opportunity
E.g. 这个机会很重要，你一定要抓住这个机会。

2 哥们儿: pals, a term of address for good friends

dāng wǒ yào lí kāi tā de shí hou   yī fēng cái
当 我 要 离 开 他 的 时 候 ， 伊 锋 才

hěn rèn zhēn de shuō le yí jù   hòu lái bú shì
很 认 真 地 说 了 一 句 ： " 后 来 不 是 。 "

wǒ shuō   duì   jiù suàn shì hòu lái bú shì
我 说 ： " 对 ， 就 算 是 后 来 不 是 。 "

wǒ shuō de hěn suí biàn   rán hòu jiù xiàng shí táng
我 说 得 很 随 便 ， 然 后 就 向 食 堂

chū kǒu zǒu qù
出 口 走 去 。

zài lù shang   wǒ yù jiàn le wǒ de nǚ péng you
在 路 上 ， 我 遇 见 了 我 的 女 朋 友

xiǎo wén
晓 雯 。

xiǎo wén wèn wǒ   xià wǔ qù bu qù tú shū
晓 雯 问 我 ： " 下 午 去 不 去 图 书

guǎn kàn shū
馆 看 书 ？ "

wǒ shuō   xià wǔ wǒ yǒu shì   nǐ zì jǐ qù
我 说 ： " 下 午 我 有 事 ， 你 自 己 去

ba   míng tiān shàng wǔ   wǒ dào nǐ sù shè zhǎo
吧 ， 明 天 上 午 ， 我 到 你 宿 舍 找

nǐ   wǒ qǐng nǐ qù kàn yí ge zhǎn lǎn huì
你 ， 我 请 你 去 看 一 个 展 览 会 。 "

yě xǔ shì jiàn dào le xiǎo wén   wǒ de xīn qíng
也 许 是 见 到 了 晓 雯 ， 我 的 心 情

hǎo duō le   hái shuì le yí ge shū fu de wǔ jiào
好 多 了 ， 还 睡 了 一 个 舒 服 的 午 觉 [1] 。

wǒ duō me xiǎng hé xiǎo wén yì qǐ qù tú shū
我 多 么 想 和 晓 雯 一 起 去 图 书

1 **睡午觉**: take a nap after lunch
E.g. 她有睡午觉的 习惯。

guǎn kàn shū a　　dàn shì　wǒ bù néng gēn tā yì qǐ
馆 看 书 啊！但 是，我 不 能 跟 她 一 起

qù　zhè xiē tiān　wǒ de xīn qíng yì zhí hěn luàn　bù
去。这 些 天，我 的 心 情 一 直 很 乱，不

xiǎng xiě zuò yè　jīn tiān xià wǔ wǒ xiǎng bǎ yì piān
想 写 作 业。今 天 下 午 我 想 把 一 篇

lùn wén xiě wán　nà shì měi xué kè de zuò yè　wǒ
论 文 写 完，那 是 美 学 课 的 作 业。我

yí ge rén lái dào zhōng wén xì de jiào xué lóu li
一 个 人 来 到 中 文 系 的 教 学 楼 里。

dà gài zài xià wǔ sān diǎn zhōng de shí hou　yì
大 概 在 下 午 三 点 钟 的 时 候，一

zhī shǒu qīng qīng de qiāo le wǒ de shū zhuō liǎng
只 手 轻 轻 地 敲 了 我 的 书 桌 两

xià　wǒ tái tóu yí kàn　kàn jiàn le yī fēng
下。我 抬 头 一 看，看 见 了 伊 锋。

yī fēng zhǐ　le yí xià wài miàn　rán hòu　jiù
伊 锋 指[1] 了 一 下 外 面，然 后，就

wǎng wài zǒu
往 外 走。

wǒ hǎo xiàng míng bai le yī fēng de yì si
我 好 像 明 白 了 伊 锋 的 意 思，

shōu shi le yí xià bǐ hé běn zi　jiù gēn zhe yī fēng
收 拾 了 一 下 笔 和 本 子，就 跟 着 伊 锋

lái dào le zhōng wén xì dà lóu de wài miàn
来 到 了 中 文 系 大 楼 的 外 面。

yī fēng zǒu zài qián miàn　wǒ gēn zài hòu
伊 锋 走 在 前 面，我 跟 在 后

miàn　wǒ men zhī jiān dà gài yǒu wǔ liù mǐ yuǎn
面。我 们 之 间 大 概 有 五 六 米 远。

1 指: point to
E.g. 他用手指着钟
说:"现在已经十二点
了。"

wǒ men zǒu guò cǎo dì　　yòu zǒu guò jǐ zuò
我们　走过草地，又　走过几座

jiào xué lóu　　　 wǒ men hěn kuài de zǒu zhe　hǎo
教学楼……我们很快地走着，好

xiàng dōu zhī dào yào qù zuò shén me
像都知道要去做什么。

yī fēng fān guò le xiào yuán de wéi qiáng　　wǒ
伊锋翻过了校园的围墙 [1]，我

yě gēn zhe fān le guò qù
也跟着翻了过去。

yī fēng zhàn zài mǎ lù páng biān　děng qì chē
伊锋站在马路旁边，等汽车

guò qù zhī hòu　 chuān guò le mǎ lù　 wǒ yě gēn
过去之后，穿过了马路。我也跟

zhe tā chuān guò mǎ lù　wǒ men lái dào le yí ge
着他穿过马路。我们来到了一个

gōng yuán
公园。

méi xiǎng dào　　 yī fēng yòu fān guò le gōng
没想到，伊锋又翻过了公

yuán de wéi qiáng　　zhè ge gōng yuán de qiáng
园的围墙。这个公园的墙

bǐ dà xué de qiáng gāo duō le　　yī fēng fān guò
比大学的墙高多了。伊锋翻过

qù le
去了。

wǒ yào shì fān bú guò qù kě zěn me bàn　wǒ jiù
我要是翻不过去可怎么办？我就

shū gěi yī fēng le ma　 rú guǒ nà yàng　wǒ jiù diū
输给伊锋了吗？如果那样，我就丢

1 翻：climb over; 围墙: enclosing wall

E.g. 学校的大门已经关了，他们进不去了，只好翻围墙。

miàn zi le　　wǒ yǒu diǎn jǐn zhāng　　wǒ tiào le yí
面　子 了。我 有 点 紧 张 。我 跳 了 一

xià　fān guò qù le　　rú guǒ zài ràng wǒ fān yí cì
下 ，翻 过 去 了。如 果 再 让 我 翻 一 次，

wǒ kě néng jiù fān bú guò qù le
我 可 能 就 翻 不 过 去 了。

　　yī fēng zhōng yú zài gōng yuán li de yí kuài
伊 锋　终 于 在 公　园 里 的 一 块

hěn kuān de dì fang tíng xià lái
很　宽 的 地 方 停 下 来。

　　yī fēng zhōng yú shuō huà le　　　wǒ men jué
伊 锋　终 于 说 话 了："我 们 决

dòu
斗 ！"

　　wǒ shuō　　jué dòu　　wǒ xiǎng shuō　gàn má
我 说 ："决 斗 ？"我 想 说，干 吗

nà me rèn zhēn　　dàn méi yǒu shuō chū lái
那 么 认 真 ，但 没 有 说 出 来。

　　shuō huà bù duō de yī fēng rèn zhēn de shuō
说 话 不 多 的 伊 锋 认 真 地 说

le sān diǎn　　zhè shì wǒ yì diǎn yě méi xiǎng dào
了 三 点 ，这 是 我 一 点 也 没 想 到

de　yī fēng zhǐ zhe dì shang de shí tou　　rán hòu
的。伊 锋 指 着 地 上 的 石 头[1]，然 后

yòu zhǐ zhe zì jǐ de xiǎo fù　　shuō　　dì yī
又 指 着 自 己 的 小 腹[2]，说 ："第 一，

wú lùn fā shēng shén me qíng kuàng　　dōu bù
无 论 发 生 什 么 情 况 ，都 不

néng yòng shí tou　　dì èr　　bù néng dǎ duì fāng
能 用 石 头 。第 二，不 能 打 对 方

1 石头: stone

2 小腹: lower ab-
domen

de yào hài　　dì sān　　jué dòu guò chéng zhōng
的　要　害 1。第　三，决　斗　过　程　中

bù néng tíng xià lái　　zhí dào yí ge rén bǎ lìng yí
不　能　停　下　来，直　到　一　个　人　把　另　一

ge rén dǎ dǎo　　huò zhě yí ge rén xiàng lìng yí ge
个　人　打　倒，或　者　一　个　人　向　另　一　个

rén guì　xià　　xiàng duì fāng qiú ráo　　　yī fēng
人　跪 2 下，向　对　方　求　饶 3。"伊　锋

shuō wán zhī hòu　　jiù kāi shǐ zhǔn bèi le
说　完　之　后，就　开　始　准　备　了。

wǒ kāi shǐ de shí hou xiǎng xiào　　dàn méi yǒu
我　开　始　的　时　候　想　笑，但　没　有

xiào chū lái　hòu lái jiù yǒu xiē jǐn zhāng le　qiáng
笑　出　来，后　来　就　有　些　紧　张　了。强

zhuàng de yī fēng shì yǒu zhǔn bèi de　tā chuān de
壮　的　伊　锋　是　有　准　备　的，他　穿　的

shì yùn dòng xié　ér wǒ chuān de shì pí xié　suī
是　运　动　鞋，而　我　穿　的　是　皮　鞋 4。虽

rán wǒ men chā bu duō yí yàng gāo　dàn wǒ bǐ tā
然　我　们　差　不　多　一　样　高，但　我　比　他

shòu de duō　wǒ de xīn li hěn jǐn zhāng　dàn wǒ
瘦　得　多。我　的　心　里　很　紧　张，但　我

hěn ài miàn zi　bù hǎo yì si xiàng tā qiú ráo　wǒ
很　爱　面　子，不　好　意　思　向　他　求　饶。我

zhǐ hǎo gēn tā jué dòu
只　好　跟　他　决　斗。

wǔ fēn zhōng yǐ hòu　yī fēng zǒu guò lái　yào
五　分　钟　以　后，伊　锋　走　过　来，要

kāi shǐ dǎ jià le
开　始　打　架　了。

1 要害: vital part in the body

2 跪: kneel down

3 求饶: beg for mercy

4 皮鞋: leather shoes

wǒ shuō　　wǒ men liǎng ge shì tóng xué　yòng
我 说:"我 们 两 个 是 同 学,用

bù zháo jué dòu　jì rán lái le　jiù shuāi shuai jiāo
不 着 决 斗。既 然 来 了,就 摔 摔 跤[1],

jué dìng shéi shū shéi yíng　jiù xíng le　wǒ shuō de
决 定 谁 输 谁 赢[2],就 行 了。"我 说 得

hěn suí biàn　bù xiǎng ràng yī fēng kàn chū wǒ nèi
很 随 便,不 想 让 伊 锋 看 出 我 内

xīn hěn jǐn zhāng
心 很 紧 张 。

yī fēng rèn zhēn de shuō　shǎo shuō fèi huà
伊 锋 认 真 地 说:"少 说 废 话[3]。"

wǒ shuō　　zěn me néng dǎ chū shǒu a
我 说:"怎 么 能 打 出 手 啊?"

yī fēng yòu shuō le yí biàn　shǎo fèi huà
伊 锋 又 说 了 一 遍:"少 废 话。"

rán hòu　yī fēng zuò chū le kāi shǐ jué dòu de yàng
然 后,伊 锋 做 出 了 开 始 决 斗 的 样

zi　tā hǎo xiàng yào shǐ wǒ shēng qì　yòng tī zú
子。他 好 像 要 使 我 生 气,用 踢 足

qiú de jiǎo　yí xià zi tī zài wǒ de pì gu shang
球 的 脚,一 下 子 踢 在 我 的 屁 股[4] 上 ,

wǒ gǎn dào fēi cháng téng
我 感 到 非 常 疼 。

wǒ zhēn de fā huǒ le　shuō　gěi nǐ miàn
我 真 的 发 火 了,说:"给 你 面

zi　nǐ bú yào　shì bu shì　wǒ yě xiàng tā tī le
子,你 不 要,是 不 是?!"我 也 向 他 踢 了

yì jiǎo　wǒ men de jué dòu kāi shǐ le
一 脚,我 们 的 决 斗 开 始 了。

---

1 摔跤: wrestling

2 输: be defeated; 赢, win
E.g. 在这次世界杯足球比赛中,意大利队赢了,法国队输了。

3 废话: nonsense
E.g. 这个人废话太多,让人讨厌。

4 屁股: hip

méi yǒu rén kàn wǒ men jué dòu   wǒ fā chū
没 有 人 看 我 们 决 斗 。我 发 出

le hěn duō shēng yīn   kě shì yī fēng shì zú qiú duì
了 很 多 声 音 ,可 是 伊 锋 是 足 球 队

de qián fēng   tā bù chū yì shēng   tā de jiǎo hěn
的 前 锋 ,他 不 出 一 声 。他 的 脚 很

zhòng   tā de jiǎo luò zài wǒ shēn shang dōu ràng
重 ,他 的 脚 落 在 我 身 上 都 让

wǒ gǎn dào hěn téng   kàn lái   wǒ bú shì yī fēng
我 感 到 很 疼 。看 来 ,我 不 是 伊 锋

de duì shǒu   tā de gōng fu   dōu zài tā de jiǎo
的 对 手 。他 的 功 夫 ¹ 都 在 他 的 脚

shang   miàn duì tā de qiáng dà   wǒ zhēn de bù
上 。面 对 他 的 强 大 ,我 真 的 不

zhī dào   wǒ gāi zěn me bàn   suī rán yī fēng tī de
知 道 ,我 该 怎 么 办 。虽 然 伊 锋 踢 得

wǒ hěn téng   dàn shì wǒ jué de yī fēng méi yǒu
我 很 疼 ,但 是 我 觉 得 伊 锋 没 有

yòng jìn tā de quán bù gōng fu   rú guǒ tā bǎ tā
用 尽 他 的 全 部 功 夫。如 果 他 把 他

de gōng fu quán bù yòng shàng   wǒ de tuǐ kěn
的 功 夫 全 部 用 上 ,我 的 腿 肯

dìng jiù duàn le
定 就 断 了 。

wǒ zhèng zài xiǎng   wǒ shì bu shì yīng gāi xiàng
我 正 在 想 ,我 是 不 是 应 该 向

tā qiú ráo le   yī fēng yě hǎo xiàng xīn ruǎn   le
他 求 饶 了 。伊 锋 也 好 像 心 软 ² 了 ,

tái qǐ jiǎo   xiǎng le yí xià   yòu fàng xià le   zhè
抬 起 脚 ,想 了 一 下 ,又 放 下 了 。这

1 功夫: skill

E.g. 这个演员跳舞
跳得很好,他很有功
夫。

2 心软: be soft-hearted

E.g. 她不想借钱给
他。但是听说他妈妈
病了,她心软了,还是
把钱借给他了。

shí　wǒ jué de zhè shì ge hǎo jī huì　jiù yì tóu xiàng
时，我 觉 得 这 是 个 好 机 会，就 一 头　向

yī fēng de xiǎo fù zhuàng qù　wǒ zhī dào　wǒ bù
伊 锋 的 小 腹　撞　去。我 知 道，我 不

yīng gāi zhè yàng zuò　dàn shì wéi le miàn zi　wǒ
应 该 这 样　做，但 是 为 了 面 子，我

zuò le
做 了……

qiáng zhuàng de yī fēng bèi wǒ yì tóu zhuàng
强　壮　的伊 锋 被 我 一 头　撞

dǎo le　yī fēng hěn kùn nán de　màn màn de pá qǐ
倒 了。伊 锋 很 困 难 地、慢　慢 地爬起

lái　dāng tā guì qǐ lái de shí hou　wǒ yòu duì zhe tā
来。当 他 跪 起 来 的 时 候，我 又 对 着 他

de tóu　luàn dǎ le hěn duō xià
的 头，乱 打 了 很 多 下……

zhè shí　guì zài de shang de yī fēng xiàng wǒ
这 时，跪 在 地 上 的 伊 锋　向 我

bǎi shǒu　ràng wǒ tíng xià lái　kě shì　wǒ què méi
摆 手 [1]，让 我 停 下 来。可 是，我 却 没

yǒu tíng xià　yòu dǎ le tā jǐ xià cái tíng zhù
有 停 下，又 打 了 他 几 下 才 停 住。

yī fēng de yàng zi fēi cháng tòng kǔ　wǒ zhī
伊 锋 的 样 子非 常　痛 苦 [2]，我 知

dào wǒ bù yīng gāi zhuàng tā de xiǎo fù　wǒ màn
道 我 不 应 该　撞　他 的 小 腹。我 慢

màn de duì tā shuō　shì wǒ cuò le　wǒ gù yì
慢 地对 他 说："是 我 错 了，我 故 意

zhuàng le nǐ de xiǎo fù　wǒ shū le　wǒ xīn li
撞　了 你 的 小 腹，我 输 了。"我 心 里

1 摆手: wave one's hand

2 痛苦: pain and suffering

E.g. 他又没找到工作,他非常痛苦。

bù xiǎng zhè me shuō　　dàn shì wǒ hái shi duì tā
不 想 这 么 说 ，但 是 我 还 是 对 他

shuō le
说 了 。

　　yī fēng méi shuō huà　　zhàn le qǐ lái　　tā de
　　伊 锋 没 说 话 ，站 了 起 来 ，他 的

xiǎo fù hǎo xiàng bú nà me téng le　　dàn shì　　tā de
小 腹 好 像 不 那 么 疼 了 。但 是 ，他 的

yàng zi hái shi nà me tòng kǔ
样 子 还 是 那 么 痛 苦 。

　　wǒ shuō le hǎo jǐ biàn　　wǒ cuò le　　shì wǒ
　　我 说 了 好 几 遍 ，"我 错 了 ，是 我

shū le　　yī fēng hái shi yì zhí bù shuō huà　　hòu lái
输 了 "，伊 锋 还 是 一 直 不 说 话 。后 来

tā zǒu dào yì kē dà shù páng biān　　zuò le xià lái
他 走 到 一 棵 大 树 旁 边 ，坐 了 下 来 ，

yǎn jing yì zhí kàn zhe yuǎn fāng
眼 睛 一 直 看 着 远 方 。

　　guò le hěn jiǔ　　yī fēng shuō　　nǐ bú shì gù yì
　　过 了 很 久 ，伊 锋 说 ："你 不 是 故 意

de　　nǐ zǒu ba
的 。你 走 吧 ！"

　　wǒ méi xiǎng dào wǒ jiù zhè yàng yíng le　　qí
　　我 没 想 到 我 就 这 样 赢 了 。其

shí wǒ shì gù yì de
实 我 是 故 意 的 。

　　wǒ shuō　　zǒu ba　　zan men hái shi yì qǐ huí
　　我 说 ："走 吧 ，咱 们 还 是 一 起 回

qù ba
去 吧 。"

yī fēng yáo le yáo tóu
伊锋 摇 了 摇 头 [1]。

wǒ shuō   wǒ men yì qǐ lái de   hái shi yì qǐ
我 说："我 们 一 起 来 的，还 是 一 起

huí qù ba
回 去 吧。"

yī fēng hái shi bù shuō huà
伊锋 还 是 不 说 话。

wǒ shuō   nà me wǒ men yì qǐ zǒu chū gōng
我 说："那 么 我 们 一 起 走 出 公

yuán dà mén   rán hòu nǐ zài huí lái   nà shì nǐ zì jǐ
园 大 门，然 后 你 再 回 来，那 是 你 自 己

lái de le   jiù yǔ wǒ méi yǒu guān xi le
来 的 了，就 与 我 没 有 关 系 了。"

guò le hěn jiǔ   yī fēng tū rán shuō   jì rán
过 了 很 久，伊锋 突 然 说："既 然

nǐ bù zǒu   wǒ yǒu yí ge qǐng qiú   jīn tiān de shì jiù
你 不 走，我 有 一 个 请 求 [2]。今 天 的 事 就

suàn jié shù le   shéi yě bú yào shuō chū qù   bú yào
算 结 束 了，谁 也 不 要 说 出 去，不 要

gēn tóng xué men shuō   rú guǒ nǐ shuō chū qù   jiù
跟 同 学 们 说。如 果 你 说 出 去，就

huì zào chéng yán zhòng de hòu guǒ
会 造 成 严 重 的 后 果 [3]。"

wǒ shuō   wǒ yí dìng bù shuō chū qù   wǒ duì
我 说："我 一 定 不 说 出 去，我 对

shuí dōu bù shuō
谁 都 不 说。"

yī fēng shuō   hǎo   xiàn zài nǐ zǒu ba   wǒ
伊锋 说："好，现 在 你 走 吧，我

1 摇头: shake one's head
E.g. 她不同意这个计划，摇了摇头，就走了。

2 请求: request
E.g. 他考试又没考好。他请求老师再给他一次机会。

3 后果: consequence
E.g. 如果这个问题不认真解决，就会带来很坏的后果。

yí ge rén zài zuò yí huìr　　wǒ xiǎng yǐ hòu wǒ
一 个 人 再 坐 一 会 儿 。我 想 以 后 我

men zhēn de bié zài nào le
们 真 的 别 再 闹¹了 。"

yī fēng yì zhí kàn zhe yuǎn fāng
伊 锋 一 直 看 着 远 方 。

wǒ hé yī fēng méi yǒu huà shuō　wǒ zhǐ hǎo yí
我 和 伊 锋 没 有 话 说 ,我 只 好 一

ge rén xiān zǒu le
个 人 先 走 了 。

wǒ de tuǐ hěn téng　dàn wǒ hái shi nǔ lì zuò
我 的 腿 很 疼 ,但 我 还 是 努 力 做

chū shèng lì zhě de yàng zi
出 胜 利 者 的 样 子 。

wǒ yí ge rén yào zǒu chū gōng yuán de shí hou
我 一 个 人 要 走 出 公 园 的 时 候 ,

kàn jiàn yī fēng hái zuò zài nà kē dà shù xià　yàng
看 见 伊 锋 还 坐 在 那 棵 大 树 下 , 样

zi hěn tòng kǔ　dà jiā dōu jiào tā　　rì běn wǔ
子 很 痛 苦 。大 家 都 叫 他 " 日 本 武

shì　wǒ xiǎng　tā bú huì chū shì ba
士 " ,我 想 ,他 不 会 出 事 吧 ?

kě shì　wǒ wéi le biǎo shì zì jǐ hěn liǎo bu qǐ
可 是 ,我 为 了 表 示 自 己 很 了 不 起²,

wǒ wéi bèi le nuò yán　wǒ bǎ gōng yuán li jué
我 违 背 了 诺 言³。我 把 公 园 里 决

dòu de shì gào su le wǒ de tóng wū　wǒ bú dàn
斗 的 事 告 诉 了 我 的 同 屋 。我 不 但

shuō chū qù le　ér qiě hěn kuā zhāng　wǒ ài
说 出 去 了 ,而 且 很 夸 张⁴。我 爱

1 闹 : make a noise, disturb, fight, etc.
E.g. 这些孩子太闹了,他们跑来跑去,打打闹闹。

2 了不起: extraordinary, excellent
E.g. 他的功夫真是了不起。

3 违背诺言: not to keep one's word
E.g. 这个人违背了诺言,大家都很讨厌他。

4 夸张: boast
E.g. 他说他懂十门外语,他太夸张了。

miàn zi　wǒ méi yǒu xiǎng dào wǒ gěi yī fēng dài
面　子，我　没　有　想　到　我　给　伊　峰　带

lái de tòng kǔ
来　的　痛　苦。

　　wǒ zài sù shè li gēn tóng wū xuàn yào　wǒ de
　　我　在　宿　舍　里　跟　同　屋　炫　耀 1 我　的

shèng lì　wǒ gēn tóng xué men shuō　　yī fēng zuì
胜　利。我　跟　同　学　们　说："伊　锋　最

hòu guì zài dì shang xiàng wǒ qiú ráo le　　wǒ yòu
后　跪　在　地　上　向　我　求　饶　了。"我　又

shuō　　suī rán yī fēng shì zú qiú duì de qián fēng
说："虽　然　伊　锋　是　足　球　队　的　前　锋，

dǎ yíng tā bìng bù nán　　wǒ hái shuō　　yī fēng yǐ
打　赢　他　并　不　难。"我　还　说："伊　锋　以

hòu yí dìng bù gǎn zài lái nào le
后　一　定　不　敢　再　来　闹　了……"

　　wǒ wèi le miàn zi　　fàn le yí ge dà cuò wù
　　我　为　了　面　子，犯　了　一　个　大　错　误。

zài wǒ kuài lè de shí hou　wǒ méi yǒu gǎn jué dào
在　我　快　乐　的　时　候，我　没　有　感　觉　到

zì jǐ de cuò wù　dāng shí wǒ shì dā ying　le yī fēng
自　己　的　错　误。当　时　我　是　答　应 2 了　伊　锋

de　wǒ yí dìng bù shuō chū qù zài gōng yuán li fā
的，我　一　定　不　说　出　去　在　公　园　里　发

shēng de yí qiē　kě shì　wǒ zài shuō zì jǐ wěi dà de
生　的　一　切。可　是，我　在　说　自　己　伟　大　的

shí hou　wǒ wéi bèi le nuò yán　zhè dài lái le yán
时　候，我　违　背　了　诺　言。这　带　来　了　严

zhòng de hòu guǒ
重　的　后　果。

1 炫耀: show off

2 答应: promise
E.g. 我请他帮忙，他
答应了。

wǎn shang　　wǒ yú kuài de bǎ lùn wén xiě
晚　上，我愉快地把论文写
wán le
完了。

dì èr tiān shàng wǔ hěn zǎo　　wǒ jiù lái dào nǚ
第二天上午很早，我就来到女
shēng sù shè lóu zhǎo xiǎo wén　　wǒ zài nǚ shēng sù
生宿舍楼找晓雯。我在女生宿
shè mén kǒu děng xiǎo wén shí　　jué de zì jǐ shì ge
舍门口等晓雯时，觉得自己是个
yīng xióng
英雄 1。

wǒ men yí jiàn miàn　　xiǎo wén jiù guān xīn de
我们一见面，晓雯就关心地
wèn　　zuó tiān wǎn shang wǒ cóng jiào shì huí lái
问："昨天晚上我从教室回来，
tīng shuō zuó tiān xià wǔ nǐ hé yī fēng dào gōng
听说昨天下午你和伊锋到公
yuán dǎ jià le　　shì ma　　yào bú shì tài wǎn de huà
园打架了，是吗？要不是太晚的话，
wǒ zuó tiān wǎn shang jiù qù zhǎo nǐ le　　zhè shì
我昨天晚上就去找你了。这是
zhēn de ma
真的吗？"

wǒ shuō　　zhè yǒu shén me ya　　dāng rán shì
我说："这有什么呀，当然是
zhēn de le
真的了。"

yí lù shang　　wéi le zài nǚ péng you miàn qián
一路上，为了在女朋友面前

1 英雄: hero
E.g. 很多孩子都爱
听英雄的故事。

biǎo xiàn wǒ hěn wěi dà　wǒ gèng jiā kuā zhāng de
表　现 我 很 伟 大，我 更 加 夸 张 地

tán le wǒ hé yī fēng de shì
谈 了 我 和 伊 锋 的 事。

　　zài huí lái de lù shang　wǒ hái zài xiàng xiǎo
　　在 回 来 的 路 上，我 还 在 向 晓

wén tán wǒ de shèng lì　hòu lái wǒ shuō le yí jù
雯 谈 我 的 胜 利。后 来 我 说 了 一 句：

yī fēng qǐng wǒ bú yào bǎ zhè jiàn shì gào su bié
"伊 锋 请 我 不 要 把 这 件 事 告 诉 别

rén　méi xiǎng dào yī fēng yě shì ge hěn ài miàn zi
人。没 想 到 伊 锋 也 是 个 很 爱 面 子

de rén
的 人。"

　　xiǎo wén tū rán shuō　　wǒ méi xiǎng dào nǐ
　　晓 雯 突 然 说："我 没 想 到 你

huì wéi bèi nuò yán
会 违 背 诺 言。"

　　nǐ shuō shén me　wǒ qí guài de kàn zhe
　　"你 说 什 么？"我 奇 怪 地 看 着

xiǎo wén
晓 雯。

　　xiǎo wén dà shēng de hǎn dào　　nǐ bú shì dā
　　晓 雯 大 声 地 喊 道："你 不 是 答

ying yī fēng　nǐ bù shuō chū qù ma
应 伊 锋，你 不 说 出 去 吗？"

　　wǒ shuō　　shì　shì a　dàn shì wǒ wéi shén me
　　我 说："是，是 啊，但 是 我 为 什 么

bù shuō
不 说？"

xiǎo wén shēng qì de shuō

晓 雯 生 气 地 说：“伊锋 肯 定

yī fēng kěn dìng

huì lái zhǎo nǐ de

会 来 找 你 的。”

wǒ shuō   tā lái zhǎo wǒ yòu zěn me yàng

我 说：“他 来 找 我 又 怎 么 样？

wǒ pà tā

我 怕 他？”

xiǎo wén gèng shēng qì le   qì de shēng yīn

晓 雯 更 生 气 了，气 得 声 音

dōu biàn le   shuō   nǐ bú pà tā   nǐ shì yīng

都 变 了，说：“你 不 怕 他，你 是 英

xióng   xíng le ba

雄，行 了 吧？”

wǒ yě hěn shēng qì de shuō   wǒ jiù shì yīng

我 也 很 生 气 地 说：“我 就 是 英

xióng   zěn me yàng

雄，怎 么 样？”

xiǎo wén shuō   yǐ hòu nǐ de shì gēn wǒ méi

晓 雯 说：“以 后 你 的 事 跟 我 没

guān xi le   rán hòu tā shēng qì de zǒu le

关 系 了。”然 后 她 生 气 地 走 了。

méi xiǎng dào wǒ hé wǒ xīn ài de nǚ péng you

没 想 到 我 和 我 心 爱 的 女 朋 友

jiù zhè yàng fēn shǒu le

就 这 样 分 手¹ 了。

děng wǒ rèn shi dào wǒ de cuò wù shí   yǐ jīng

等 我 认 识 到 我 的 错 误 时，已 经

wǎn le   yì tiān wǎn shang   yī fēng yòu hē zuì le

晚 了。一 天 晚 上，伊 锋 又 喝 醉 了，

1 分手: split up; dis-
continue a relation
E.g. 他的女朋友跟
他好了两年，可是他
们还是分手了。

tā lái dào wǒ de sù shè zhǎo wǒ   hē le jiǔ de yī
他 来 到 我 的 宿 舍 找 我 。喝 了 酒 的 伊

fēng zhǎo le tā de hěn duō gē menr   tā men dào
锋 找 了 他 的 很 多 哥 们 儿，他 们 到

chù shuō   yào yòng mù bàng   dǎ sǐ   wǒ zhè ge wéi
处 说 ，要 用 木 棒 ¹ 打 死 ² 我 这 个 违

bèi nuò yán de rén
背 诺 言 的 人 。

tóng xué men zěn me quàn zǔ yī fēng   yī fēng
同 学 们 怎 么 劝 阻 伊 锋，伊 锋

yě bù tīng   tā shǒu ná mù bàng pǎo zài qián miàn
也 不 听。他 手 拿 木 棒 跑 在 前 面 。

yī fēng tòng kǔ de hǎn zhe   wǒ men kàn shuí
伊 锋 痛 苦 地 喊 着："我 们 看 谁

xiān sǐ   shuí hòu sǐ
先 死 ，谁 后 死 。"

jiù zài zhè ge wēi xiǎn de shí hou   xiǎo wén lái
就 在 这 个 危 险 的 时 候 ，晓 雯 来

le   měi lì de xiǎo wén chuān zhe yí jiàn bái sè de
了。美 丽 的 晓 雯 穿 着 一 件 白 色 的

qún zi   zài nán shēng sù shè lóu li   tā kū hóng le
裙 子。在 男 生 宿 舍 楼 里，她 哭 红 了

yǎn jing   tā zài yī fēng miàn qián guì xià le
眼 睛 ，她 在 伊 锋 面 前 跪 下 了。

yī fēng yě xǔ bèi zhè ge měi lì de nǚ hái gǎn
伊 锋 也 许 被 这 个 美 丽 的 女 孩 感

dòng le   tā hěn xiōng de kàn le wǒ yì yǎn   rēng
动 ³ 了，他 很 凶 地 看 了 我 一 眼 ，扔

xià le shǒu zhōng de mù bàng   shuí yě méi xiǎng
下 了 手 中 的 木 棒 。谁 也 没 想

1 木棒: wooden stick

2 死: die

3 感动: moved
E.g. 听了这个英雄
的故事，孩子们都很
感动。

dào   yī fēng jiù dài zhe tā de gē menr   zǒu le
到 , 伊 锋 就 带 着 他 的 哥 们 儿 走 了 。

　　wǒ men hái yǒu liǎng ge yuè jiù yào bì yè
　　我 们 还 有 两 个 月 就 要 毕 业

le   yī fēng què zài dì èr tiān lí kāi le dà xué
了 , 伊 锋 却 在 第 二 天 离 开 了 大 学

xiào yuán
校 园 。

　　xiǎo wén jiù ¹ le wǒ   zhǐ shì yīn wèi wǒ shì tā
　　晓 雯 救 ¹ 了 我 , 只 是 因 为 我 是 她

de nán péng you   zài dà xué de zuì hòu liǎng ge yuè
的 男 朋 友 。 在 大 学 的 最 后 两 个 月

li   wǒ men méi yǒu zài jiàn miàn   tā yě yǒng yuǎn
里 , 我 们 没 有 再 见 面 , 她 也 永 远

de lí kāi le wǒ
地 离 开 了 我 。

　　dà xué bì yè hòu bù jiǔ   piào liang de xiǎo wén
　　大 学 毕 业 后 不 久 , 漂 亮 的 晓 雯

gēn zhōng wén xì de yí ge hěn lǎo shi de nán tóng
跟 中 文 系 的 一 个 很 老 实 ² 的 男 同

xué jié hūn le
学 结 婚 了 。

　　hòu lái wǒ tīng shuō   yī fēng qù le yí ge hěn
　　后 来 我 听 说 , 伊 锋 去 了 一 个 很

yuǎn de dì fang   yí zhí dào xiàn zài   yě méi yǒu
远 的 地 方 。 一 直 到 现 在 , 也 没 有

rén gēn tā lián xì shàng
人 跟 他 联 系 上 。

　　shí jǐ nián guò qù le   tóng xué men yě màn
　　十 几 年 过 去 了 , 同 学 们 也 慢

1 救: save, rescue
E.g. 他病得很危险,
是这个医生救了他。

2 老实： honest and
well behaved
E.g. 这个人很老实,
你完全可以相信他。

màn de wàng jì le wǒ men de jué dòu dàn shì wǒ
慢 地 忘 记 了 我 们 的 决 斗 。但 是 ，我
duì nà tiān zài gōng yuán de jué dòu què yǒng yuǎn
对 那 天 在 公 园 的 决 斗 却 永 远
wàng bu liǎo wǒ xiǎng wǒ yīng gāi bǎ nà tiān
忘 不 了 。我 想 ，我 应 该 把 那 天
gōng yuán li fā shēng de yí qiē gào su dà jiā bǎ
公 园 里 发 生 的 一 切 告 诉 大 家 ，把
zhēn shí de qíng kuàng gào su dà jiā
真 实 的 情 况 告 诉 大 家 。

This story is an abridged version of Wang Huaiyu's short story What Happened in the Park, *which was published by* Xiaoshuo Yuebao (小说月报) *No.1, 2004.*

About the author Wang Huaiyu (王怀宇):

Wang Huaiyu was born in 1966 in Zhenlai, Jilin Province (吉林省). He graduated from the Chinese Department of North-East Normal University in 1989. Now he is editor-in-chief of *Shen Hua* (参花). He is a member of Chinese Writers' Association. He began to write and publish his works in 1988. He has published the novel 漂过都市, novella and short stories 家族之疫, 狼群早已溃散, 站长老谁, 女孩. He has published works of about a million characters.

思考题:

1. 故事中的"我"和伊锋为什么决斗?

2. 在决斗的时候"我"是怎么赢的?

3. 伊锋为什么输了这场决斗?

4. "我"的女朋友晓雯为什么离开了"我"?

5. 伊锋为什么在大学毕业前离开了学校?

6. "我"为什么要写在公园里发生的故事?

7. 故事中的"我"爱面子,伊锋也爱面子,你觉得他们两个人有什么不一样吗?

sān　　chūntiān de yí ge yè wǎn

三、 春天的一个夜晚

yuánzhù　qiúshānshān
原著：裘山山

三、春 天 的 一 个 夜 晚

Guide to reading:

A Spring Evening is the story of Fang Xin, newly graduated with a master degree. She is naive, yet has a strong personality. She always shows a sense of superiority and pride when engaging with her boyfriend, her boss, and her clients. During dinner she jokes with male clients, she is charming, quick-witted and sharp-tongued. In the story, Li Xueyi, the general manager, is an experienced and successful business woman. Her experience shows that in commercial society, a successful business woman must not only work hard, but also must learn how to deal with her business opponents, especially the males. For a fulfilling life, what these women need are both a successful career and a warm family life. *A Spring Evening* reflects both the success and loneliness of white-collar women in modern society.

故事正文：

fāng xīn shì shuò shì yán jiū shēng tā bì yè yǐ
方 欣 是 硕 士 研 究 生 ¹。她 毕 业 以

hòu zài yì jiā guǎng gào gōng sī zhǎo dào le
后 ，在 一 家 广 告 ² 公 司 找 到 了

gōng zuò gōng sī lǎo bǎn shì ge nǚ de sì shí duō
工 作 。公 司 老 板 是 个 女 的 ，四 十 多

suì jiào lǐ xuě yí fāng xīn jiào tā lǐ zǒng lǐ
岁 ，叫 李 雪 仪 ，方 欣 叫 她 李 总 ³。李

zǒng hěn piào liang fāng xīn yuàn yì dào zhè ge
总 很 漂 亮 。方 欣 愿 意 到 这 个

gōng sī lái gōng zuò jiù shì yīn wèi gōng sī lǎo bǎn
公 司 来 工 作 ，就 是 因 为 公 司 老 板

shì nǚ de ér qiě hěn piào liang fāng xīn rèn wéi
是 女 的 ，而 且 很 漂 亮 。方 欣 认 为

piào liang de nǚ rén bǐ jiào wēn hé fāng xīn de nán
漂 亮 的 女 人 比 较 温 和 ⁴。方 欣 的 男

péng you jiào ā míng ā míng gào su fāng xīn rú
朋 友 叫 阿 明 。阿 明 告 诉 方 欣 ，如

guǒ nǚ lǎo bǎn piào liang hé tā yì qǐ chū qù bàn
果 女 老 板 漂 亮 ，和 她 一 起 出 去 办

shì jiù huì hěn fāng biàn
事 就 会 很 方 便 。⁵

kě shì lǐ zǒng duì fāng xīn hěn yán lì lǐ
可 是 李 总 对 方 欣 很 严 厉 ⁶。李

zǒng bú xiàng tā xiǎng de nà me wēn hé fāng xīn
总 不 像 她 想 的 那 么 温 和 。方 欣

dào gōng sī cái liǎng ge yuè lǐ zǒng jiù duì tā fā
到 公 司 才 两 个 月 ，李 总 就 对 她 发

---

1 硕士研究生: graduate student of master degree

2 广告:advertisement
E.g. 这家公司做了很多广告，公司的生意非常好。

3 总: a short form of general manager
E.g. 李总,张总……

4 温和: gentle
E.g. 这个地方的气候很温和。
E.g. 她说话很温和。

5 This sentence implies that beautiful women will often experience trouble from men at work. If a boss is a beautiful woman, then her women subordinates may be free of some trouble.

6 严厉: stern, severe
E.g. 她是一个严厉的老师。

了一次脾气[1]。有一次，方欣写好一个文件。她想，有了写好的文件，草稿[2]就没用了，她就扔了。可是李总非要草稿不可，让她把草稿找出来。她说草稿已经扔了，李总马上对她喊道："我让你找出来！"方欣感到很委屈[3]。方欣流出了委屈的眼泪，她真想对李总说："我不干了！"可是方欣没有这样做，还是把草稿找了出来，送到了李总的办公室。

　　方欣把这件事告诉了她的男朋友阿明。阿明说："这很好啊，这是对你的一次磨炼。"

1 发脾气: lose one's temper

E.g. 他经常发脾气，大家都不喜欢他。

2 草稿: draft

3 感到委屈: feel wronged

E.g. 他做了很多工作，可是老板还是不满意，他感到很委屈。

　　方欣说："你就不怕把我磨成一个光滑的鹅卵石[1]吗？"

　　阿明说："那才好呢，那我抱着才舒服呢。"

　　有一天，方欣上街，在商店里随便买了一件红花花的布衣服。上班的时候，她穿着那件红花花的衣服，把她的长头发也编成了辫子[2]，她觉得自己很年轻。方欣刚一走进公司大楼，她的男同事就跟她开玩笑，说："嗬，你真成了小芳[3]了。"方欣非常高兴。可是，方欣没想到，走进电梯的时候，她遇见了李总，李总不高兴地说："你怎么打扮成了一个农村

1 鹅卵石: a type of cobblestone

2 辫子: plaited braids of hair

3 "小芳"is a girl's name and also the name of a popular 1990s song. It often represents a country girl today.

rén de yàng zi　zhēn nán kàn
人 的 样 子？真 难 看！"

　　fāng xīn fēi cháng shēng qì　tā duì nán péng
　　方 欣 非 常 生 气。她 对 男 朋

you ā míng shuō le zhè jiàn shì　tā shēng qì de mà
友 阿 明 说 了 这 件 事，她 生 气 地 骂

lǐ zǒng　tā yí dìng shì dào le gēng nián qī le
李 总："她 一 定 是 到 了 更 年 期¹ 了，

bù xǐ huan kàn dào bié rén nián qīng
不 喜 欢 看 到 别 人 年 轻。"

　　ā míng shuō　bú yào shēng qì　kě néng nǐ
　　阿 明 说："不 要 生 气，可 能 你

nà yàng zi zhēn de hěn nán kàn
那 样 子 真 的 很 难 看！"

　　fāng xīn shuō　wèi　wèi　wèi　nǐ zěn me
　　方 欣 说："喂，喂，喂，你 怎 么

huí shì a　zěn me bāng zhe lǐ zǒng shuō huà
回 事 啊²，怎 么 帮 着 李 总 说 话

a
啊？"

　　ā míng xiào zhe shuō　nǐ rěn yì rěn bié
　　阿 明 笑 着 说："你 忍³ 一 忍，别

shēng qì
生 气。"

　　fāng xīn bù míng bai　wéi shén me tā de nán
　　方 欣 不 明 白，为 什 么 她 的 男

péng you zǒng shì bāng tā de lǎo bǎn shuō huà　shì
朋 友 总 是 帮 她 的 老 板 说 话。是

bu shì ā míng yě xǐ huan piào liang de nǚ lǎo bǎn
不 是 阿 明 也 喜 欢 漂 亮 的 女 老 板？

---

1 更年期: menopausal
The term is often used to describe some people of about 50 years of age who have an eccentric disposition
E.g. 她经常发脾气，人们说她到了更年期。

2 怎么回事: What's the matter?
E.g. 她为什么哭了？这是怎么一回事？

3 忍: forbearance, patient, self-control
E.g. 她太生气了，忍了一会儿，没忍住，还是发脾气了。

kě shì ā míng bú shì gōng sī de zhí yuán　　yě méi
可 是 阿 明 不 是 公 司 的 职 员 ，也 没

jiàn guò lǐ zǒng a　　gōng sī li de nán zhí yuán dōu
见 过 李 总 啊。公 司 里 的 男 职 员 都

hài pà¹ lǐ zǒng　　tā men zài gēn xiǎo jiě kāi wán
害 怕¹李 总 。他 们 在 跟 小 姐 开 玩

xiào² de shí hou　　zhǐ yào lǎo bǎn yì chū xiàn　　xiǎo
笑²的 时 候，只 要 老 板 一 出 现 ， 小

jiě mǎ shàng jiù bú jiàn le　　nán zhí yuán dōu xiàng
姐 马 上 就 不 见 了，男 职 员 都 向

zhe lǎo bǎn wēi xiào
着 老 板 微 笑 。

jīn tiān wǎn shang yǒu yí ge wǎn yàn　　lǐ zǒng
今 天 晚 上 有 一 个 晚 宴³。李 总

ràng fāng xīn gēn tā yì qǐ chū qù chī fàn　　hái ràng
让 方 欣 跟 她 一 起 出 去 吃 饭， 还 让

tā huí jiā dǎ ban　　yí xiàr　　ràng tā dǎ ban de piào
她 回 家 打 扮⁴一 下 儿， 让 她 打 扮 得 漂

liang yì diǎnr　　fāng xīn yǒu diǎnr　　bù gāo
亮 一 点 儿 。方 欣 有 点 儿 不 高

xìng　　tā bú tài yuàn yì hé lǎo bǎn yì qǐ chū qù chī
兴 。她 不 太 愿 意 和 老 板 一 起 出 去 吃

fàn　　lìng wài　　fāng xīn rèn wéi　　lǎo bǎn zhǐ yào
饭 。另 外 ， 方 欣 认 为 ， 老 板 只 要

shuō wǎn shang de yàn huì hěn zhòng yào jiù xíng
说 晚 上 的 宴 会 很 重 要 就 行

le　　tā xīn li xiǎng　　wǒ zì jǐ huì dǎ ban de　　lǎo
了 。她 心 里 想 ：我 自 己 会 打 扮 的。老

bǎn shuō ràng tā dǎ ban de piào liang yì diǎn　　fāng
板 说 让 她 打 扮 得 漂 亮 一 点 ， 方

---

1 害怕: be afraid of;
fear
E.g. 晚上她害怕出
门，都待在家里。

2 开玩笑: make jokes
E.g. 这个人很有意
思，他很喜欢开玩笑。

3 晚宴: dinner

4 打扮: dress up
E.g. 今天她们打扮
得很漂亮。

xīn jué de zì jǐ hǎo xiàng shì yàn huì shang de yí
欣 觉 得 自 己 好 像 是 宴 会 上 的 一

dào cài　ràng dà jiā pǐn cháng　fāng xīn xīn li gǎn
道 菜 ，让 大 家 品 尝 。方 欣 心 里 感

dào hěn bù yú kuài　dàn shì fāng xīn hái shi huí jiā
到 很 不 愉 快 。但 是 方 欣 还 是 回 家

qù dǎ ban le
去 打 扮 了 。

　　tā zhàn zài jiē dào páng biān děng gōng gòng qì
　　她 站 在 街 道 旁 边 等 公 共 汽

chē de shí hou　hǎo xiàng tīng jiàn yǒu rén jiào le tā
车 的 时 候 ，好 像 听 见 有 人 叫 了 她

yì shēng　tā tái tóu kàn le kàn　méi kàn jiàn rén
一 声 ，她 抬 头 看 了 看 ，没 看 见 人 ，

kàn dào le shù　kàn dào le chūn tiān de lǜ shù
看 到 了 树 ，看 到 了 春 天 的 绿 树 。

fāng xīn duì zhe shù xiào le yí xiàr　rán hòu tā
方 欣 对 着 树 笑 了 一 下 儿 ，然 后 她

jué de xīn qíng hǎo duō le　měi nián de chūn tiān
觉 得 心 情 好 多 了 。每 年 的 春 天 ，

fāng xīn dōu huì yīn wèi shù ér gǎn dào yú kuài
方 欣 都 会 因 为 树 而 感 到 愉 快 。

　　jīn tiān wǎn shang shì fāng xīn dì yī cì hé lǎo
　　今 天 晚 上 是 方 欣 第 一 次 和 老

bǎn chū qù qǐng kè hù chī fàn　tā zhǔn bèi rèn zhēn
板 出 去 请 客 户 吃 饭 ，她 准 备 认 真

de dǎ ban dǎ ban　suī rán tā shì yán jiū shēng bì
地 打 扮 打 扮 。虽 然 她 是 研 究 生 毕

yè　kě shì xiàn zài zhǎo gōng zuò hěn nán　zhǎo
业 ，可 是 现 在 找 工 作 很 难 ，找

dào zhè ge gōng zuò yě shì bù róng yì de   jīn tiān
到 这 个 工 作 也 是 不 容 易 的。今 天

wǎn shang tā xiǎng ràng lǎo bǎn kàn yí kàn tā de
晚 上 她 想 让 老 板 看 一 看 她 的

néng lì   tā bù xiǎng ràng lǎo bǎn jué de tā de néng
能 力,她 不 想 让 老 板 觉 得 她 的 能

lì hěn chà   xiàng tā men zhè yàng de guǎng gào
力 很 差。像 他 们 这 样 的 广 告

gōng sī   kè hù hěn zhòng yào   tā men de kè hù jiù
公 司,客 户 很 重 要。他 们 的 客 户 就

shì yín háng   jīn tiān wǎn shang de kè hù jiù shì yì jiā
是 银 行。今 天 晚 上 的 客 户 就 是 一 家

dà yín háng   fāng xīn xīn li hěn qīng chu   xiǎng
大 银 行。方 欣 心 里 很 清 楚, 想

cóng dà yín háng nà li zhuàn qián   bú shì yí jiàn
从 大 银 行 那 里 赚 钱 [1],不 是 一 件

róng yì de shì   suǒ yǐ fāng xīn duì jīn wǎn de yàn huì
容 易 的 事。所 以 方 欣 对 今 晚 的 宴 会

hái shi hěn rèn zhēn de   chú cǐ zhī wài   fāng xīn hái
还 是 很 认 真 的。除 此 之 外, 方 欣 还

yǒu bié de shì yào zhǎo lǎo bǎn tán
有 别 的 事 要 找 老 板 谈。

fāng xīn huí dào jiā   bǎ guì zi li de yī fu dōu
方 欣 回 到 家,把 柜 子 里 的 衣 服 都

zhǎo le chū lái   tā jué de nǎ jiàn yī fu dōu bù mǎn
找 了 出 来,她 觉 得 哪 件 衣 服 都 不 满

yì   xiàn zài shì sì yuè de tiān qì   bú tài lěng yě bú
意。现 在 是 四 月 的 天 气, 不 太 冷 也 不

tài rè   chuān shǎo le   pà gǎn mào   chuān duō
太 热, 穿 少 了,怕 感 冒, 穿 多

1 赚钱: make money,
make a profit

E.g. 他很会赚钱,一
年就赚了 50 万。

le   yòu bù hǎo kàn   tā yòng le yí ge duō xiǎo
了 ， 又 不 好 看 。她 用 了 一 个 多 小

shí   cái bǐ jiào mǎn yì de xuǎn hǎo le yì shēn yī
时 ， 才 比 较 满 意 地 选 好 了 一 身 衣

fu   shàng miàn shì yí jiàn bái sè de yáng róng
服 ： 上 面 是 一 件 白 色 的 羊 绒

shān   xià miàn shì yì tiáo hēi sè de qún zi   wài
衫 ， 下 面 是 一 条 黑 色 的 裙 子 ， 外

miàn chuān le yí jiàn duǎn fēng yī   rán hòu tā duì
面 穿 了 一 件 短 风 衣。然 后 她 对

zhe jìng zi   yòu jiā shàng yì tiáo hóng sī jīn   tā
着 镜 子 ， 又 加 上 一 条 红 丝 巾 。她

jué de bù hǎo kàn   yòu huàn le yì tiáo hēi bái sī
觉 得 不 好 看 ， 又 换 了 一 条 黑 白 丝

jīn   tā jué de tā de dǎ ban yǒu diǎn sù   dàn tā
巾 。她 觉 得 她 的 打 扮 有 点 素 [1]。但 她

yòu xiǎng   tā nián qīng   sù dǎ ban yě bù nán kàn
又 想 ， 她 年 轻 ， 素 打 扮 也 不 难 看 。

rán hòu   fāng xīn kāi shǐ huà zhuāng   suī rán
然 后 ， 方 欣 开 始 化 妆 [2]。虽 然

tā de zhuāng huà de hěn dàn   dàn shì tā kàn shàng
她 的 妆 化 得 很 淡 [3]，但 是 她 看 上

qù hěn piào liang   tā chū mén de shí hou   xīn li
去 很 漂 亮 。她 出 门 的 时 候 ， 心 里

xiǎng   lǐ zǒng   nǐ bú shì ràng wǒ dǎ ban ma   nà
想 ， 李 总 ， 你 不 是 让 我 打 扮 吗 ， 那

wǒ jiù dǎ ban gěi nǐ kàn kan   wǒ kě bú shì nóng cūn
我 就 打 扮 给 你 看 看 ， 我 可 不 是 农 村

gū niang   bú huì dǎ ban   děng nǐ kàn dào wǒ de shí
姑 娘 ， 不 会 打 扮 。等 你 看 到 我 的 时

1 素: plain, ordinary
E.g. 这件衣服的颜色很素。
E.g. 她喜欢素打扮。

2 化妆: make up
E.g. 她在公司上班，天天要化妆。

3 淡: light; "淡妆", lightly made-up; "浓妆", heavy make-up
E.g. 她喜欢化淡妆，不喜欢化浓妆。

hou　wǒ kě néng bǐ nǐ hái piào liang ne
候，我 可 能 比你还 漂 亮 呢。

　　fāng xīn xī wàng lǐ zǒng kàn jiàn tā de shí
　　方 欣希 望 李 总 看 见 她 的 时

hou　yǎn jing yí liàng　guǒ rán　lǐ zǒng jiàn dào
候，眼 睛 一 亮。果 然 1，李 总 见 到

tā shí　zhēn de yǎn jing yí liàng　tā men zài jiǔ diàn
她 时，真 的 眼 睛 一 亮。她 们 在 酒 店

wài miàn jiàn miàn shí　lǐ zǒng xiào zhe shuō　　ō
外 面 见 面 时，李 总 笑 着 说："噢，

nǐ hǎo piào liang a　tài dù fēi cháng hǎo　hǎo xiàng
你 好 漂 亮 啊！"态 度 非 常 好，好 像

shì fāng xīn de hǎo péng you　fāng xīn de liǎn hóng le
是 方 欣 的 好 朋 友。方 欣 的 脸 红 了。

miàn duì tā de lǎo bǎn　tā bù zhī dào zěn me huí dá
面 对 她 的 老 板，她 不 知 道 怎 么 回 答。

tā yòng hěn xiǎo de shēng yīn shuō　nǎ li　nǐ cái
她 用 很 小 的 声 音 说："哪里，你 才

piào liang ne
漂 亮 呢！"

　　lǐ zǒng jīn tiān wǎn shang què shí hěn piào
　　李 总 今 天 晚 上 确 实 很 漂

liang　fāng xīn zhēn de méi xiǎng dào　lǐ zǒng
亮，方 欣 真 的 没 想 到。李 总

chuān le yí jiàn hěn piào liang de　méi yǒu xiù zi
穿 了 一 件 很 漂 亮 的、没 有 袖 子

de qí páo　lù chū le bái bái de gē bo　gē bo
的 旗 袍 2，露 出 了 白 白 的 胳 膊，胳 膊

shang pī le yì tiáo cháng cháng de pī jiān　tā de
上 披 了 一 条 长 长 的 披 肩。她 的

1 果然: as expected
E.g. 他说要下雪了，果然下雪了。

2 旗袍: cheongsam, mandarin gown
E.g. 中国的旗袍很漂亮，样式也很多。

shēn cái   bú cuò   jīn tiān tā dǎ ban de zhēn piào
身　材¹不　错　，今　天　她　打　扮　得　真　漂

liang   tā de tóu fa shì wǎn   qǐ lái de   liǎn shang bú
亮　。她的头发是绾²起来的。脸　上　不

dàn huà le zhuāng   hái cā le yān zhi   fāng xīn
但　化了　妆　，还擦了胭脂³。方　欣

huà zhuāng cóng lái bù cā yān zhi   dāng tā kàn dào
化　妆　从来不擦胭脂。当　她看到

lǐ zǒng liǎn shang de yān zhi shí   tā què shí kàn dào
李总　脸　上　的胭脂时，她确实看到

le yān zhi dài gěi nǚ rén de měi lì   fāng xīn jīn tiān
了胭脂带给女人的美丽。方　欣今天

wǎn shang huà zhuāng huà de yǒu diǎn tài sù le
晚　上　化　妆　化得有点太素了。

　　liǎng ge nǚ rén zǒu jìn jiǔ diàn   shàng le lóu
　　两　个女人走进酒店，上　了楼。

　　tā men gāng gāng zuò xià   liǎng wèi xiān sheng
　　她们　刚　刚　坐下，两　位先　生

jiù bèi jiǔ diàn xiǎo jiě dài jìn lái le   hǎo xiàng tā
就被酒店　小　姐带进来了，好　像他

men zǎo jiù dào le   yì zhí děng zài nà li   jīn tiān
们　早就到了，一直等在那里。今天

wǎn shang qǐng de kè hù shì ge hěn yǒu mèi lì   de
晚　上　请　的客户是个很有魅力⁴的

nán rén   chuān de yī fu yě bù sú qi   lǎo bǎn xìng
男　人，穿　的衣服也不俗气⁵。老板姓

qí dà jiā jiào tā qí zǒng   jīn wǎn lǐ zǒng de tài dù
齐,大家叫他齐总　。今晚李总　的态度

biàn le   tā de wēi xiào ràng fāng xīn jué de lǐ zǒng
变了，她的微笑让方　欣觉得李总

1 身材: figure, stature
E.g. 她的身材很好，穿旗袍很好看。

2 绾: coil up, tie up
E.g. 她把头发绾起来,看上去很漂亮。

3 胭脂: rouge

4 魅力: charm

5 俗气 : worldliness; vulgar
E.g. 这个人穿衣服很俗气,说话也很俗气,大家都不喜欢他。

1 兴奋: excited
E.g. 他们喝酒喝得很兴奋，话也特别多。

2 助手: assistant
E.g. 这个老板很忙，他有三个助手。

3 明星: star
E.g. 电影明星 (film star)，足球明星 (football star)……

4 名片: business card

5 业务主管: director in charge of business. Some companies often make deals and establish relationships at the dinner table. Some people with high alcohol tolerance and good social skills may be given titles such as director in charge of business to help their bosses in these business activities.

hǎo xiàng shì huàn le yí ge rén　fāng xīn zì jǐ yě
好　像　是　换　了一个人。方　欣　自己也

gǎn dào yǒu xiē xīng fèn　　qí zǒng de zhù shǒu　yě
感　到　有　些　兴　奋 1。齐　总　的　助　手 2 也

bú cuò　gè zi gāo gāo de　　yàng zi yǒu diǎnr
不错，个子高高的，样子有点儿

xiàng diàn yǐng míng xīng　　tā men hù xiāng wò
像　电　影　明　星 3。他们互相　握

shǒu　hù xiāng jiè shào　rán hòu　dà jiā jiù zuò xià
手，互相　介绍。然　后，大家就坐下

le　lǐ zǒng ān pái qí zǒng zuò zài zhōng jiān　lǐ
了。李　总　安排齐　总　坐在　中　间，李

zǒng hé fāng xīn zuò zài tā de zuǒ bian hé yòu bian
总　和方　欣坐在他的左　边和右　边。

qí zǒng de zhù shǒu zuò zài fāng xīn de duì miàn
齐　总　的助手坐在方　欣的对　面。

kàn zhe tā de yàng zi　fāng xīn gǎn dào hěn shū
看　着他的样子，方　欣感　到很舒

fu　gāng cái tā gěi tā míng piàn shí　fāng xīn kàn
服。刚　才他给她名片 4时，方　欣看

dào shàng miàn xiě zhe　tā xìng sī mǎ　　yè wù
到　上　面写着，他姓司马，"业务

zhǔ guǎn　　fāng xīn xīn li zhī dào　tā bù yí
主管 " 5。方　欣心里知道，他不一

dìng shì zhēn de　yè wù zhǔ guǎn　yǒu de rén yīn
定是真的"业务主管"，有的人因

wèi huì hē jiǔ　jiù chéng le yè wù zhǔ guǎn
为会喝酒，就成了业务主管。

jīn tiān wǎn shang　fāng xīn bù míng bai lǐ
今天晚上，方欣不明白李

总为什么只让她一个人来。她们
两个女人，谈生意¹，能行吗？李
总在介绍方欣时，说："我这位
助手还是一个硕士呢。"齐总夸
张²地说："我没想到女强人³
不仅有能力，而且个个都漂亮。"
李总说："什么女强人哪，我们
都是些弱女子，对吧，方欣？"

方欣听着，点头表示同意李
总的话，但心里感到不太高兴。
她最不喜欢李总说她是硕士。方
欣觉得李总这样介绍，好像在
告诉别人："你们看看，硕士都给
我打工⁴！你们看看，连我的助手
都是硕士。"

1 谈生意: make deals with

E.g. 很多商人都喜欢在饭桌上谈生意。

2 夸张: exaggerate

3 女强人: successful and capable women

4 打工: work for; do temporary work

E.g. 她在给一家广告公司打工。

E.g. 他在北京打了两年工。

fāng xīn gēn ā míng tán zhè jiàn shìr   de shí
方 欣 跟 阿 明 谈 这 件 事 儿 的 时
hou   ā míng shuō   nǐ bié xiǎng de tài duō le
候 ， 阿 明 说 ："你 别 想 得 太 多 了。
kě néng lǐ zǒng bú shì nà ge yì si ne   fāng xīn
可 能 李 总 不 是 那 个 意 思 呢。"方 欣
shuō   tā shuō huà de yàng zi   jiù hǎo xiàng shì
说 ："她 说 话 的 样 子，就 好 像 是
zhè ge yì si   ā míng shuō   nǐ bié xiǎng de tài
这 个 意 思。"阿 明 说 ："你 别 想 得 太
duō le   nǐ yào ràng tā màn màn de xiāng xìn nǐ
多 了，你 要 让 她 慢 慢 地 相 信 你。"

fāng xīn zhī dào jīn tiān wǎn shang tán shēng
方 欣 知 道 今 天 晚 上 谈 生
yi   dà jiā dōu yào hē jiǔ   tā qiāo qiāo de zuò hǎo
意，大 家 都 要 喝 酒，她 悄 悄 地 作 好
le zhǔn bèi   bǎ cā shǒu de máo jīn qiāo qiāo de liú
了 准 备，把 擦 手 的 毛 巾 悄 悄 地 留
le xià lái
了 下 来。

lǐ zǒng yì biān liáo tiānr   yì biān jiè shào
李 总 一 边 聊 天 儿 [1] 一 边 介 绍
gōng sī de qíng kuàng   lǐ zǒng shuō huà hěn hǎo
公 司 的 情 况。李 总 说 话 很 好
tīng   ràng tā zhè ge zhù shǒu hěn yǒu miàn zi   dà
听，让 她 这 个 助 手 很 有 面 子。大
jiā hē le sān bēi jiǔ zhī hòu   lǐ zǒng yǒu xiē xīng fèn
家 喝 了 三 杯 酒 之 后，李 总 有 些 兴 奋
le   huà yě màn màn de duō le qǐ lái   shuō huà yě
了，话 也 慢 慢 地 多 了 起 来，说 话 也

1 聊天儿: chat
E.g. 老年人喜欢在
公园、茶馆聊天儿。
E.g. 年轻人喜欢在
网上聊天儿。

màn màn de suí biàn qǐ lái   ér qiě yuè lái yuè yǒu
慢 慢 地 随 便 起 来 , 而 且 越 来 越 有
nǚ rén de mèi lì   bú guò fāng xīn kàn de chū lái
女 人 的 魅 力 。 不 过 方 欣 看 得 出 来 ,
tā liǎn shang de hóng shì yān zhi hóng   bú shì yīn
她 脸 上 的 红 是 胭 脂 红 , 不 是 因
wèi hē le jiǔ   dà gài lǐ zǒng shì hē jiǔ bù hóng liǎn
为 喝 了 酒 , 大 概 李 总 是 喝 酒 不 红 脸
de rén   zhè shí lǐ zǒng xiàng yí ge nián qīng gū
的 人 。 这 时 李 总 像 一 个 年 轻 姑
niang nà yàng   wāi zhe tóu   tīng zhe tā shēn biān
娘 那 样 , 歪 着 头 , 听 着 她 身 边
de nán rén kuā tā
的 男 人 夸 她 。

　　fāng xīn xīn li xiǎng   lǐ zǒng yě huì wèi shuài
　　方 欣 心 里 想 , 李 总 也 会 为 帅
qi de nán rén dòng xīn ma   lǐ zǒng de gōng sī yǒu
气¹ 的 男 人 动 心² 吗 ? 李 总 的 公 司 有
hěn duō shuài qi de nán rén   dàn shì lǐ zǒng duì tā
很 多 帅 气 的 男 人 , 但 是 李 总 对 他
men zǒng shì bù lěng bú rè de   yǒu yí cì   fāng xīn
们 总 是 不 冷 不 热 的 。 有 一 次 , 方 欣
tīng jiàn gōng sī de nán zhí yuán jiào lǐ zǒng   bái gǔ
听 见 公 司 的 男 职 员 叫 李 总 " 白 骨
jīng   fāng xīn jué de hěn qí guài   nán zhí yuán
精 "³ 。 方 欣 觉 得 很 奇 怪 。 男 职 员
shuō zhè shì kuā tā de   zhè shì yīn wèi lǐ zǒng shì bái
说 这 是 夸 她 的 。 这 是 因 为 李 总 是 白
lǐng   gǔ gàn hé jīng yīng   fāng xīn tīng le zhī hòu ,
领 、 骨 干 和 精 英 。 方 欣 听 了 之 后 ,

1 帅气: handsome, smart

E.g. 这个小伙子长得很帅气。

2 动心: one's desire or interest is aroused

E.g. 这个姑娘很漂亮，很多小伙子都动了心。

3 "白骨精" here is used as a pun, the word usually means 'White Bone Demon, a wicked and treacherous female spirit in the novel *Journey to the West*. But here 白骨精 refers to "白"white collar,"骨" backbone, and "精" elite in the enterprise.

xiào le   fāng xīn xiǎng le xiǎng   tā men shuō de yě
笑 了。方 欣 想 了 想 ，他 们 说 得 也

duì   lǐ zǒng suī rán sì shí duō suì le   dàn shì   tā rén
对。李 总 虽 然 四 十 多 岁 了，但 是，她 人

piào liang   yǒu qián   hái cōng míng   shéi gǎn hé tā
漂 亮 ，有 钱，还 聪 明 ，谁 敢 和 她

tiáo qíng   a   tīng shuō lǐ zǒng yǐ jīng lí hūn   qī bā
调 情 ¹啊！听 说 李 总 已 经 离 婚 ²七 八

nián le   dà jiā yě méi jiàn tā shēn biān chū xiàn guò
年 了，大 家 也 没 见 她 身 边 出 现 过

shén me nán rén
什 么 男 人 。

fàn zhuō shang   lǐ zǒng hē le jiǔ zhī hòu   shuō
饭 桌 上 ，李 总 喝 了 酒 之 后，说

huà de shēng yīn yě biàn le   tā duì zhe kè hù lǎo
话 的 声 音 也 变 了。她 对 着 客 户 老

bǎn shō   qí zǒng   lái   wǒ zài jìng nǐ yì bēi
板 说："齐 总 ，来，我 再 敬 你 一 杯 ³。"

qí zǒng duān qǐ bēi zi kāi wán xiào de shuō
齐 总 端 起 杯 子 开 玩 笑 地 说：

wǒ zhǐ shì yí ge fù zǒng   ér qiě hái shì wǔ ge
"我 只 是 一 个 副 总 ⁴，而 且 还 是 五 个

fù zǒng zhī yī
副 总 之 一 。"

lǐ zǒng shuō   nǐ zài wǒ yǎn li jiù shì zǒng
李 总 说："你 在 我 眼 里 就 是 总

jīng lǐ   zài shuō   zhè bēi jiǔ bú shì wèi gōng zuò de
经 理。再 说 ，这 杯 酒 不 是 为 工 作 的

shì   jiù wèi nǐ zhè ge rén   shuō zhēn de   shēng huó
事，就 为 你 这 个 人 。说 真 的 ，生 活

1 调情: flirtation

2 离婚: divorce
E.g. 这个孩子的父母离婚了，他很痛苦。
E.g. 现在离婚的人越来越多。

3 敬你一杯: (when toasting) To your health! 敬, a polite word
E.g. 敬酒 (propose a toast)，敬茶 (serve tea)……

4 副总: deputy to the general manager

lǐ hái yǒu nǐ zhè yàng chéng gōng de nán rén   ér
里 还 有 你 这 样 成 功 的 男 人，而

qiě hái shì yǒu mèi lì de nán rén   wǒ men nǚ rén
且 还 是 有 魅 力 的 男 人，我 们 女 人

kàn zhe jiù gāo xìng   duì bu duì   fāng xīn
看 着 就 高 兴，对 不 对，方 欣？"

fāng xīn gǎn máng jiē zhe shuō   bú jǐn shì gāo
方 欣 赶 忙 接 着 说："不 仅 是 高

xìng   ér qiě shì fēi cháng gāo xìng
兴，而 且 是 非 常 高 兴。"

fāng xīn shuō wán   jué de tā shuō de huà méi
方 欣 说 完，觉 得 她 说 的 话 没

shén me yì si   dàn shì   zuò zài tā duì miàn de nà ge
什 么 意 思。但 是，坐 在 她 对 面 的 那 个

nán zhù shǒu sī mǎ què duì tā xiào le xiào   hǎo
男 助 手 司 马 却 对 她 笑 了 笑，好

xiàng hěn xīn shǎng tā de huà   qí zǒng shuō   zhè
像 很 欣 赏 她 的 话。齐 总 说："这

huà yīng gāi wǒ lái shuō   rén men cháng shuō   nǚ rén
话 应 该 我 来 说。人 们 常 说，女 人

ràng zhè shì jiè biàn de měi lì   duì ba   sī mǎ   sī
让 这 世 界 变 得 美 丽。对 吧，司 马？"司

mǎ yě gǎn máng shuō   shì a   zhǐ shì bù zhī dào
马 也 赶 忙 说："是 啊！只 是 不 知 道

wǒ men zěn yàng zuò   cái néng dǎ dòng tā men de
我 们 怎 样 做，才 能 打 动 她 们 的

fāng xīn
芳 心？"[1]

sī mǎ kàn zhe fāng xīn   fāng xīn tīng le   dà
司 马 看 着 方 欣。方 欣 听 了，大

1 芳心 here is used as a pun. 芳心 means a heart of a young woman. In the story, the pronunciation is the same as 方欣, it implies here the assistant Sima flatters Fang Xin.

声 地 笑 起来。别人 没有 明 白 她

笑 什么。方 欣 对 司马 说："司马

先 生，咱们 两个 助手，也 碰个

杯吧。"司马 说："好 啊！"这时，齐

总 端 起 杯子，说："来来，我 也 跟 你

们 一 起 喝。"这时 李 总 也 马 上 说：

"好 吧，我 们 一 起 喝吧。"

　　结果 一 桌 子 的 人 都 站 起 来 了，大

家 的 酒杯 碰 得 很 响 。

　　齐 总 大概 是 酒 量 不大，或 者 是

因 为 兴 奋，身 子 一 歪，碰 掉 了 李

总 的 筷子。他 赶 忙 说 对不起，叫

酒 店 的 小姐 过 来 换 一 双 筷子。

小 姐 忙 着 倒 酒，没 马 上 过 来。齐

总 想 发 脾气，李 总 赶 忙 拿 起 餐

巾纸¹擦着筷子，说："没关系，没
关系，我干洗一下就行了。现在人
们不都是喜欢干洗吗？"

大家听了李总的话，都笑了。
方欣突然觉得她的老板还懂幽
默²。方欣想：看来酒真是个好
东西呢，大家平时看不见的东西，
喝了酒就出现了。

这时方欣听见手机³响了一
下儿，她知道一定是阿明发的短
信⁴。阿明知道她今晚有宴会，大
概有些不放心，就给她发了短信。
方欣看了一下，一条信息写道：你
猜我现在干什么呢？1. 想你；2. 很
想你；3. 非常想你；4. 不想你不

---

1 餐巾纸: tissue

2 幽默: humorous
E.g. 这个电影很幽默，人们都喜欢看。
E.g. 他说话很幽默，大家都喜欢和他开玩笑。

3 手机: mobile phone
E.g. 如果你有事找我，就打我的手机。
E.g. 我的手机没电了，打不了电话。

4 发短信: send a message
E.g. 我给你发了两条手机短信。

xíng　　jiù shì xiǎng nǐ
行 ; 5. 就 是 想 你 。

　　fāng xīn xiào xiao　jiǎn dān de huí le yí jù
　　方 欣 笑 笑 , 简 单 地 回 了 一 句

yīng wén　　　　　　wǒ yě shì　　kě shì yì fēn
英 文 : Me , too (我 也 是)。 可 是 一 分

zhōng hái bú dào　duǎn xìn yòu lái le　qí zǒng
钟 还 不 到 , 短 信 又 来 了 。 齐 总

zhèng duān zhe bēi zi yào jìng tā jiǔ　shuō　　fāng
正 端 着 杯 子 要 敬 她 酒 , 说 :" 方

xiǎo jiě yí dìng shì tán liàn ài　le　zhè me duō duǎn
小 姐 一 定 是 谈 恋 爱 [1] 了 , 这 么 多 短

xìn　　fāng xīn yì biān duān jiǔ bēi yì biān shuō
信 。" 方 欣 一 边 端 酒 杯 一 边 说 :

qí zǒng　nǐ zhēn yǒu jīng yàn　yí kàn jiù kàn
" 齐 总 , 你 真 有 经 验 , 一 看 就 看

chū lái le　qí zǒng shuō　　lái　zhù nǐ xìng
出 来 了 。" 齐 总 说 :" 来 , 祝 你 幸

fú　　fāng xīn shuō le shēng xiè xie　zài dà jiā de
福 。" 方 欣 说 了 声 谢 谢 , 在 大 家 的

miàn qián bǎ jiǔ dōu hē guāng le　zài zhè yǐ qián
面 前 把 酒 都 喝 光 了 。 在 这 以 前 ,

tā hē de jiǔ dōu tù zài le cā shǒu de máo jīn li　tā
她 喝 的 酒 都 吐 在 了 擦 手 的 毛 巾 里 。 她

zhī dào　tā bù néng zuì　tā hái děi mái dān　tā
知 道 , 她 不 能 醉 [2], 她 还 得 埋 单 [3], 她

hái děi zhào gù lǐ zǒng
还 得 照 顾 李 总 。

　　qí zǒng jiàn tā yì kǒu bǎ jiǔ hē guāng le
　　齐 总 见 她 一 口 把 酒 喝 光 了 ,

1 谈恋爱: be in love; have a love affair
E.g. 他谈了很多次恋爱,都没谈成,他现在还没结婚。

2 醉: drunk
E.g. 他喝酒总是喝醉,他妻子和他离婚了。

3 埋单: pay the bill
E.g. 今天吃饭我埋单,你就别客气了。

说：“方小姐真不错，真能喝酒。”又对李总说：“李总，你可真能干，能找到这么好的助手，有知识，又漂亮，还能喝酒。”李总说：“是方小姐自己愿意到我公司来的。”方欣也接着说：“我们也是互相关心，互相同情。”齐总说：“你们这些女强人办公司，一定会有大发展的。”李总说：“哪里，我们还得靠你们的帮助啊！女人再能干，也离不开男人的帮助啊。”方欣说：“可不是，没有男人的帮助，我们就像没有根的花一样。”

齐总说：“我们是阳光雨露[1]

1 阳光雨露: sunshine, rain and dew

a　bú guò wǒ hěn yuàn yì bāng zhù nǐ men zhè yàng
啊？不过我很 愿意帮 助你们这样

de huā
的花 。"

dà jiā dōu xiào le qǐ lái　měi ge rén dōu gǎn
大家都 笑 了起来，每个人都 感

dào hěn kāi xīn
到 很 开心 。

kàn lái tā men de kè hù jīn wǎn què shí hē de
看来她们的客户今晚 确实喝得

hěn gāo xìng　qí zǒng shuō qǐ le zì jǐ yù dào de gè
很 高兴。齐总 说 起 了自己遇到的各

zhǒng kùn nan hé gè zhǒng jīng lì　　lǐ zǒng hǎo
种 困 难和各 种 经 历。李总 好

xiàng tīng de hěn rèn zhēn　yǒu shí tā yě shuō jǐ
像 听得很认 真，有时她也说几

jù　　à　zhēn bù jiǎn dān a　　　méi xiǎng dào
句："啊，真 不简单啊！" " 没 想 到

nǐ zhè me bù róng yì　　děng děng
你这么不容易！" 等 等 。

fāng xīn tīng ā míng shuō guò　jiǔ zhuō
方 欣听阿明 说 过，酒桌

shang yì bān yǒu sān ge jiē duàn　dì yī ge jiē
上 一 般 有 三个阶 段，第一个阶

duàn shì tián yán mì yǔ　dì èr ge jiē duàn shì
段 是 甜 言 蜜 语[1]；第二个阶 段 是

háo yán zhuàng yǔ　dì sān ge jiē duàn shì hú
豪 言 壮 语[2]；第三个阶 段 是 胡

yán luàn yǔ　kàn lái tā men shì yào jìn rù dì
言 乱 语[3]。看来他们是要进入第

---

1 **甜言蜜语**：sweet words and honeyed phrases
E.g. 他们说的是甜言蜜语，可是做的又是一回事。

2 **豪言壮语**：proud words, grandiloquence

3 **胡言乱语**：talk nonsense
E.g. 他们喝酒喝多了，开始胡言乱语了。

三个阶段了。不过方欣觉得今
晚的酒宴比较有意思，主要是
这些客户们比较有意思。她看了
看对面的司马先生，司马先
生没有认真听他的老板说
话，而是在看她。方欣向他端
起酒杯，两人微笑点头，喝了
点儿酒。

　　方欣的手机又响了。方欣假
装¹上卫生间，就拿着手机出
去了。她一看三条短信，都是阿明
的，每条都是爱情短信。方欣
明白，阿明是在告诉她别忘了
他。方欣有点生气。她心想，酒
桌上我能干什么？她没回短

---

1 假装: pretend
E.g. 妈妈进来的时
候,他假装睡着了。

xìn　tū rán tā yòu shōu dào yì tiáo duǎn xìn　zhè
信。突然她又收到一条短信。这

yì tiáo bú shì ā míng de　diàn huà hào mǎ tā yě
一条不是阿明的，电话号码她也

bù zhī dào shì shéi de　duǎn xìn xiě zhe　wǒ
不知道是谁的。短信写着：我，

wǒ　wǒ xiǎng hé nǐ　wǒ xiǎng hé nǐ zuò　yí cì
我，我想和你，我想和你做一次

ài　wǒ xiǎng hé nǐ　zuò yí cì　ài guó zhǔ yì de
爱，我想和你做一次爱国主义的

tǎo lùn
讨论。[1]

zhè shì shéi fā de duǎn xìn　zhè me tǎo yàn
这是谁发的短信？这么讨厌！

fāng xīn jué de hǎo xiào　yòu yǒu diǎn shēng qì
方欣觉得好笑，又有点生气，

jiù bǎ zhè tiáo duǎn xìn yòu zhuǎn fā gěi le ā
就把这条短信又转发给了阿

míng
明。

huí dào jiǔ zhuō shang　fāng xīn tū rán kàn
回到酒桌上，方欣突然看

dào　qí zǒng zhèng bǎ tā de pàng shǒu fàng zài lǐ
到，齐总正把他的胖手放在李

zǒng de tuǐ shang　zhè ràng tā hěn chī jīng　fāng xīn
总的腿上。这让她很吃惊。方欣

xīn li hěn bù shū fu　zhè xiē nán rén zhè me sú qi
心里很不舒服。这些男人这么俗气！

fāng xīn tǎo yàn zhè xiē sú qi de nán rén　jǐn guǎn
方欣讨厌这些俗气的男人，尽管

1 "做一次爱" means to make love. "做一次爱国主义的讨论" means "to have a discussion on patriotism." So this is a flirtatious message. This message makes fun of the words.

tā zhī dào zhè shì yīn wèi qí zǒng hē jiǔ hē duō le
她知道这是因为齐总喝酒喝多了。

　　tū rán sī mǎ xiān sheng xiào zhe duì fāng xīn
　　突然司马先生笑着对方欣

shuō　zěn me yàng hǎo wán ma　fāng xīn yí xià
说："怎么样？好玩吗？"方欣一下

zi méi yǒu míng bai tā de yì si　sī mǎ shuō　shì
子没有明白他的意思。司马说："是

duǎn xìn a　fāng xīn mǎ shàng míng bai le　gāng
短信啊！"方欣马上明白了，刚

cái shì tā fā de duǎn xìn　dàn shì fāng xīn gù yì shuō
才是他发的短信！但是方欣故意说：

nǐ shì shuō wǒ nán péng you fā de nà xiē duǎn xìn
"你是说我男朋友发的那些短信

ma　sī mǎ shuō　bú shì shì wǒ gěi nǐ fā de nà
吗？"司马说："不是，是我给你发的那

tiáo　fāng xīn jiǎ zhuāng chī jīng de shuō　nǐ gěi
条！"方欣假装吃惊地说："你给

wǒ fā de wǒ zěn me méi kàn jiàn　sī mǎ yǐ wéi
我发的？我怎么没看见？"司马以为

tā zhēn de méi shōu dào　shuō　jiù shì gāng cái fā
她真的没收到，说："就是刚才发

de a　fāng xīn shuō　wǒ zhēn de méi shōu
的啊。"方欣说："我真的没收

dào wǒ shǒu jī li dōu shì wǒ nán péng you de duǎn
到，我手机里都是我男朋友的短

xìn　sī mǎ ná chū zì jǐ de shǒu jī shuō　zhēn
信。"司马拿出自己的手机，说："真

qí guài wǒ shǒu jī shang xiǎn shì de shì chéng gōng
奇怪，我手机上显示的是成功

发出啊。"方欣说:"有时候是这样的,我也遇到过。"司马说:"那我再给你发一次。"方欣赶忙说:"来来,喝酒,我们一起来敬我们的老板吧。"

宴会结束的时候,李总已经醉了,说话也乱了。她握着齐总的手,说了十多次告别的话,二十多次感激的话,三十多次希望合作成功的话。齐总也差不多,一只手握着李总的手,另一只手拍着李总的胳膊,一声又一声地说:"没问题,我们一定会合作成功的。"他还说,今晚他非常愉快,希望以后还有机会和她们喝酒。他还说,他从来没见过她们

zhè yàng piào liang de nǚ qiáng rén　　　sī mǎ xiān
这 样 漂 亮 的 女 强 人 …… 司 马 先

sheng yě gēn zhe shuō　　　yǔ nǐ men zhè yàng měi lì
生 也 跟 着 说 :" 与 你 们 这 样 美 丽

de nǚ shì yì qǐ dù guò　 yí ge chūn tiān de yè wǎn
的 女 士 一 起 度 过 ¹ 一 个 春 天 的 夜 晚,

zhēn shì xìng fú　　　fāng xīn xiào zhe yì biān tīng yì
真 是 幸 福 。" 方 欣 笑 着 一 边 听 一

biān diǎn tóu　 tā xīn li xiǎng　 shì jiè shang hǎo
边 点 头 。她 心 里 想 ,世 界 上 好

tīng de huà dōu ràng nǐ men shuō wán le
听 的 话 都 让 你 们 说 完 了 。

　　sī mǎ xiān sheng méi yǒu zuì　 fāng xīn yě méi
　　司 马 先 生 没 有 醉 ,方 欣 也 没

yǒu zuì　 tā men dōu shì zhù shǒu　 tā men dōu yào
有 醉 ,他 们 都 是 助 手 ,他 们 都 要

zhào gù zì jǐ de lǎo bǎn　 zhè shì tā men de gōng
照 顾 自 己 的 老 板 。这 是 他 们 的 工

zuò　 tā men bù néng zuì　 sī mǎ gěi lǎo bǎn tí zhe
作 ,他 们 不 能 醉 。司 马 给 老 板 提 着

bāo　 bāng zhe lǎo bǎn shàng le chē　 shàng chē zhī
包 ,帮 着 老 板 上 了 车 。上 车 之

qián　 sī mǎ duì fāng xīn yòu shuō le yí biàn　　gěi
前 ,司 马 对 方 欣 又 说 了 一 遍 :" 给

wǒ dǎ diàn huà　 wǒ qǐng nǐ hē kā fēi　 fāng xīn suí
我 打 电 话 ,我 请 你 喝 咖 啡 。" 方 欣 随

biàn de diǎn diǎn tóu　 tā gǎn jué dào tā de lǎo bǎn
便 地 点 点 头 ,她 感 觉 到 她 的 老 板

zhàn bù wěn le　 fāng xīn xiǎng fú tā　 lǐ zǒng què
站 不 稳 了 。方 欣 想 扶 她 ,李 总 却

1 度过: spend

bú ràng   fāng xīn zhǐ hǎo zhàn zài tā de páng biān
不 让 。方 欣 只 好 站 在 她 的 旁 边 ,

wàn yí lǎo bǎn dǎo xià   hǎo bāng tā   lǐ zǒng
万 一 老 板 倒 下 , 好 帮 她。李 总

xiàng qián zǒu le yí bù   bǎ shǒu shēn jìn chē chuāng
向 前 走 了 一 步 ,把 手 伸 进 车 窗 ,

zài cì yǔ qí zǒng wò shǒu   tā de zhè zhǒng rè qíng
再 次 与 齐 总 握 手 。她 的 这 种 热 情

ràng fāng xīn gǎn dào yǒu xiē gān gà   tā zǒu guò qù
让 方 欣 感 到 有 些 尴 尬¹。她 走 过 去 ,

bǎ lǐ zǒng lā kāi   lǐ zǒng tuì dào lù biān   hái zài dà
把 李 总 拉 开 。李 总 退 到 路 边 ,还 在 大

shēng de hǎn   gěi wǒ dǎ diàn huà a   wǒ de hào mǎ
声 地 喊 :"给 我 打 电 话 啊 ,我 的 号 码

shì bā wǔ liù bā yī yī liù bā   chē kāi zǒu zhī
是 8 5 6 8 1 1 6 8 !² " 车 开 走 之

hòu tā hái duì zhe chē hǎn   gěi wǒ dǎ diàn huà a
后 ,她 还 对 着 车 喊 :"给 我 打 电 话 啊 ,

wǒ de diàn huà shì bā wǔ liù bā yī yī liù bā
我 的 电 话 是 8 5 6 8 1 1 6 8 !"

jiē shang de rén dōu hěn chī jīng de kàn zhe tā
街 上 的 人 都 很 吃 惊 地 看 着 她

men   fāng xīn zhī dào lǎo bǎn shì zhēn de zuì le
们 。方 欣 知 道 老 板 是 真 的 醉 了 ,

gǎn máng fú zhù tā   jiào le yí liàng chū zū chē guò
赶 忙 扶 住 她 ,叫 了 一 辆 出 租 车 过

lái lǐ zǒng què bú shàng chē   tā shuō   wǒ bù
来。李 总 却 不 上 车 ,她 说 :"我 不

xiǎng zuò chē   wǒ yào sàn bù   duō me měi hǎo de
想 坐 车 ,我 要 散 步 。多 么 美 好 的

1 尴尬:embarrassed.
E.g. 她不知道怎么回答这个问题,她感到很尴尬。

2 The number 85681168 sounds like a lucky telephone number, as Chinese people consider 6 and 8 to be lucky numbers. The number 6 means smoothness in everything, and number 8 means getting rich.

yè wǎn a　wǒ men sàn bù ba　wǒ men zài qù zhǎo
夜 晚 啊，我 们 散 步 吧。我 们 再 去 找

ge jiǔ bā hē jiǔ　wǒ hái xiǎng hē　wǒ méi shì　zhè
个 酒 吧 喝 酒。我 还 想 喝，我 没 事。这

diǎn jiǔ suàn bu liǎo shén me　nǐ jiàn wǒ shén me shí
点 酒 算 不 了 什 么，你 见 我 什 么 时

hou zuì guò　fāng xīn méi bàn fǎ　zhǐ hǎo gēn zhe
候 醉 过？"方 欣 没 办 法，只 好 跟 着

tā zǒu　yí liàng sān lún chē cóng duì miàn guò lái
她 走。一 辆 三 轮 车 从 对 面 过 来

le　fāng xīn mǎ shàng yǒu le yí ge zhǔ yi　dà
了，方 欣 马 上 有 了 一 个 主 意，大

shēng shuō　lǐ zǒng　wǒ hǎo jiǔ méi zuò sān lún
声 说："李 总，我 好 久 没 坐 三 轮

chē le　wǒ men zuò zuo sān lún chē ba　zuò sān lún
车 了，我 们 坐 坐 三 轮 车 吧？坐 三 轮

chē kàn yè jǐng duō hǎo a
车 看 夜 景 多 好 啊。"

　fāng xīn hěn jiān nán de bǎ lǐ zǒng nòng shàng
　方 欣 很 艰 难 地 把 李 总 弄 上

le sān lún chē　zuò zài sān lún chē shang　lǐ zǒng
了 三 轮 车。坐 在 三 轮 车 上，李 总

hái shi bù tíng de shuō zhe nà jǐ jù huà　nǐ bié yǐ
还 是 不 停 地 说 着 那 几 句 话："你 别 以

wéi wǒ hē duō le　wǒ zuì le　wǒ yì diǎn yě méi
为 我 喝 多 了、我 醉 了，我 一 点 也 没

zuì　wǒ hěn qīng chu　nà ge nán ren yǐ wéi wǒ hē
醉，我 很 清 楚。那 个 男 人 以 为 我 喝

duō le　duì wǒ dòng shǒu dòng jiǎo[1] de　wǒ hěn
多 了，对 我 动 手 动 脚[1]的。我 很

1 动手动脚: (usually of man) flirt with women

qīng chu wǒ shì jiǎ zhuāng bù zhī dào fāng
清 楚，我 是 假 装 不 知 道……" 方

xīn mǎ shàng xiǎng dào le nà wèi sī mǎ xiān sheng
欣 马 上 想 到 了 那 位 司 马 先 生，

gēn lǎo bǎn shuō kě bu shì tā men hái yǐ wéi tā
跟 老 板 说："可 不 是，他 们 还 以 为 他

men néng zhàn shén me pián yi ne
们 能 占 什 么 便 宜¹呢。"

fāng xīn zhōng yú bǎ lǎo bǎn sòng huí le jiā lǎo
方 欣 终 于 把 老 板 送 回 了 家。老

bǎn de fáng zi hěn dà hěn piào liang hái shì liǎng
板 的 房 子 很 大，很 漂 亮，还 是 两

céng de dàn shì fāng xīn zhǐ shì jué de fáng zi hěn
层 的。但 是，方 欣 只 是 觉 得 房 子 很

dà hěn kōng hěn lěng qīng lǐ zǒng dǎ kāi tā de
大，很 空，很 冷 清。李 总 打 开 她 的

jiǔ guì ná chū yì píng wài guó jiǔ shuō lái wǒ
酒 柜，拿 出 一 瓶 外 国 酒，说："来，我

men jiē zhe hē wǒ men zì jǐ hē bù gēn tā men
们 接 着 喝，我 们 自 己 喝，不 跟 他 们

nán rén hē
男 人 喝！"

fāng xīn gǎn máng qù ná tā de jiǔ píng shuō
方 欣 赶 忙 去 拿 她 的 酒 瓶，说：

lǐ zǒng nǐ bù néng zài hē le
"李 总，你 不 能 再 喝 了！"

lǐ zǒng shuō wǒ méi shì wǒ hái méi hē
李 总 说："我 没 事，我 还 没 喝

hǎo
好。"

1 占便宜: gain extra advantage by unfair means. The phrase in this context implies that men want to play with woman to make fun.

fāng xīn méi bàn fǎ　zhǐ hǎo ràng tā dào jiǔ
方 欣 没 办 法，只 好 让 她 倒 酒。

fāng xīn hē le yì xiǎo kǒu　jué de bù hǎo hē　lǐ
方 欣 喝 了 一 小 口，觉 得 不 好 喝，李

zǒng què yì kǒu hē gān le　shuō　xiǎo fāng　nǐ
总 却 一 口 喝 干 了，说：" 小 方，你

bú yào jiào wǒ lǐ zǒng　jiào wǒ xuě yí jiě　wǒ bú
不 要 叫 我 李 总，叫 我 雪 仪 姐。我 不

yào dāng lǐ zǒng　wǒ bù xǐ huan nǐ jiào wǒ lǐ
要 当 李 总，我 不 喜 欢 你 叫 我 李

zǒng　wǒ jiào lǐ xuě yí　nǐ zhī dào ba
总 。我 叫 李 雪 仪，你 知 道 吧？"

fāng xīn shuō　　wǒ zhī dào　wǒ zhī dào　wǒ
方 欣 说：" 我 知 道，我 知 道，我

hái gēn nán péng you shuō guò　nǐ de míng zi hǎo
还 跟 男 朋 友 说 过，你 的 名 字 好

tīng　lǐ zǒng shuō　nán péng you　bù néng yào
听 。" 李 总 说：" 男 朋 友？不 能 要

nán péng you　nǐ huì hòu huǐ de　rú guǒ nán rén
男 朋 友，你 会 后 悔 的。如 果 男 人

xiǎng gēn zhe nǐ　jiù shì xiǎng yào nǐ de qián　rú
想 跟 着 你，就 是 想 要 你 的 钱，如

guǒ bù xiǎng yào qián　tā jiù bú yào nǐ le　nǐ zhī
果 不 想 要 钱，他 就 不 要 你 了。你 知

dào ma　wǒ tài liǎo jiě nán rén le　nǐ hái nián
道 吗？我 太 了 解 男 人 了，你 还 年

qīng　nǐ bù zhī dào
轻 ，你 不 知 道。"

lǐ zǒng shuō zhe shuō zhe　yǎn lèi jiù liú le chū
李 总 说 着 说 着，眼 泪 就 流 了 出

方欣有些紧张，她从来没有见过老板的眼泪，就像从来没有见过老板的笑容。她赶紧把桌子上的纸巾拿过来给李总，小心地说："李总，你没事[1]吧？"李雪仪瞪了一眼，方欣又赶忙说："雪仪姐，你没事吧？"

雪仪姐说："我没事，没事，我能有什么事？我什么男人没见过？那个姓齐的男人，他说他不容易，他的困难算什么？我才不容易呢。一边要注意生意陷阱[2]，一边还要注意男人。他一个大男人也说自己不容易，真是的！他还以为我对他感兴趣呢！"

1 没事: nothing serious

E.g. 我身体很好，我没事。

2 生意陷阱: business trap

E.g. 现在做生意很难，到处是生意陷阱。

fāng xīn shuō　　　kě bu shì　nán rén dōu jué de
方 欣 说："可 不 是，男 人 都 觉 得

zì jǐ hěn bú cuò　　wǒ men gěi tā yì diǎn yáng
自 己 很 不 错。我 们 给 他 一 点 阳

guāng　　tā jiù càn làn　gěi tā yì diǎn hóng shuǐ　tā
光 ，他 就 灿 烂；给 他 一 点 洪 水，他

jiù fàn làn
就 泛 滥¹。"

　　lǐ xuě yí xiào le qǐ lái　tā shuō　　　wǒ xǐ
李 雪 仪 笑 了 起 来。她 说："我 喜

huan nǐ de líng yá lì chǐ　　　tā yòu kū yòu xiào
欢 你 的 伶 牙 俐 齿²。"她 又 哭 又 笑，

kàn qǐ lái hǎo xiàng shì yí ge hái zi　tā kū guò zhī
看 起 来 好 像 是 一 个 孩 子。她 哭 过 之

hòu　kàn qǐ lái zhēn de xiàng yí ge sì shí duō suì de
后，看 起 来 真 的 像 一 个 四 十 多 岁 的

nǚ rén le　bú xiàng zài wǎn yàn shang nà me piào
女 人 了，不 像 在 晚 宴 上 那 么 漂

liang le　dàn shì fāng xīn jué de lǐ zǒng bǐ yǐ qián
亮 了。但 是 方 欣 觉 得 李 总 比 以 前

kě ài duō le　lǐ zǒng qīn qīn de pāi zhe fāng xīn de
可 爱 多 了。李 总 亲 亲 地 拍 着 方 欣 的

liǎn shuō　　wǒ xǐ huan nǐ de cōng míng　　néng
脸 说："我 喜 欢 你 的 聪 明 、能

gàn　dàn shì　wǒ men nǚ rén hěn kě lián　　méi
干 。但 是，我 们 女 人 很 可 怜³，没

rén gěi wǒ men ài　wǒ dōu lí hūn bā nián le
人 给 我 们 爱。我 都 离 婚 八 年 了，

wǒ yí ge rén shēng huó bā nián le　　　fāng xīn
我 一 个 人 生 活 八 年 了。"方 欣

1 Fang Xin ridicules men by saying that if women give men a little sunshine, men will feel dizzy with flattery; if women give men a little flood, men will overflow.

2 伶牙俐齿: sharp-tongued; have a ready tongue
E.g. 这个姑娘伶牙俐齿，很厉害。

3 可怜: poor, pitiable
E.g. 这个孩子没人管，真可怜。

shuō xiàng nǐ zhè yàng de nǚ rén yí dìng yǒu
说："像你这样的女人，一定有

bù shǎo de nán rén xǐ huan yí dìng shì nǐ tài tiāo
不少的男人喜欢，一定是你太挑

tī le
剔[1]了。"

lǐ xuě yí shuō bú shì de bú shì wǒ tiāo tī
李雪仪说："不是的，不是我挑剔，

shì méi yǒu gòng tóng de xiǎng fǎ nǐ xiǎng nà xiē
是没有共同的想法。你想，那些

nán rén tā men zhǐ xū yào wǒ men de shēn tǐ kě
男人，他们只需要我们的身体，可

wǒ ne wǒ hái xiǎng yào jīng shén shang de dōng
我呢，我还想要精神[2]上的东

xi ne duì bu duì
西呢，对不对？"

fāng xīn gǎn dào hěn chī jīng tā yǐ wéi lǐ
方欣感到很吃惊，她以为李

zǒng zhǐ zhī dào gōng zuò zhèng qián bù zhī dào
总只知道工作、挣[3]钱，不知道

tā hái yǒu zhè yàng de xiǎng fǎ
她还有这样的想法。

fāng xīn shuō wǒ zhī dào nǐ jīn tiān wǎn
方欣说："我知道，你今天晚

shang rú guǒ bú shì kǎo lǜ gōng sī hé tong nǐ zǎo
上如果不是考虑公司合同[4]，你早

jiù zǒu le
就走了。"

lǐ xuě yí shuō bù bú shì de wǒ bú shì kǎo
李雪仪说："不，不是的，我不是考

1 挑剔:be fastidious
E.g. 她买衣服非常挑剔。
E.g. 他吃饭很挑剔。

2 精神: spirit, mind
E.g. 现在有些人有钱了，生活好了，可是精神上的东西少了。

3 挣: earn

4 合同: contract
E.g. 今天我跟公司签了一个合同。

lù hé tong de shì　wǒ yuàn yì gēn qí zǒng shuō huà
虑 合 同 的 事 。我 愿 意 跟 齐 总 说 话

shì yīn wèi tā tè bié xiàng wǒ de qián fū　　zhēn
是 因 为 他 特 别 像 我 的 前 夫 [1]。真

de　hěn xiàng　wǒ de qián fū kě néng bǐ tā gāo yì
的 , 很 像 。我 的 前 夫 可 能 比 他 高 一

diǎn　nà zhēn shì yí ge hěn xīn de nán rén
点 。那 真 是 一 个 狠 心 [2] 的 男 人 。"

　　lǐ xuě yí yí xià zi pā dào zhuō zi shang kū qǐ
　　李 雪 仪 一 下 子 趴 到 桌 子 上 哭 起

lái le　kū de xiàng ge hái zi
来 了 , 哭 得 像 个 孩 子 。

　　fāng xīn hěn jǐn zhāng　bù zhī dào gāi zěn me
　　方 欣 很 紧 张 , 不 知 道 该 怎 么

bàn　tā cóng lái méi yù jiàn guò zhè yàng de shì　tā
办 , 她 从 来 没 遇 见 过 这 样 的 事 。她

xiàng duì xiǎo hái zi yí yàng gēn lǐ zǒng shuō　bié
像 对 小 孩 子 一 样 跟 李 总 说 :" 别

kū　bié kū
哭 , 别 哭 。"

　　lǐ zǒng bǎ tā de jīng lì dōu shuō le chū lái
　　李 总 把 她 的 经 历 都 说 了 出 来 。

fāng xīn màn mān de tīng zhe
方 欣 慢 慢 地 听 着 。

　　zhè ge nǚ rén de hūn yīn　shì nà me bú xìng
　　这 个 女 人 的 婚 姻 [3] 是 那 么 不 幸 !

zhè ge kàn shàng qù lěng mò　měi lì de nǚ rén　duì
这 个 看 上 去 冷 漠 、美 丽 的 女 人 , 对

tā de qián fū tè bié hǎo　tā tīng shuō zhàng fu zài
她 的 前 夫 特 别 好 。她 听 说 丈 夫 在

1 **前夫**: former husband

2 **狠心**: heartless

3 **婚姻**: marriage
E.g. 她的婚姻很幸福。

wài miàn yǒu le qíng ren   tā hěn tòng kǔ   dàn shì
外　面　有　了　情　人 1。她　很　痛　苦，但　是

méi yǒu tí chū lí hūn   tā shuō   wǒ shí zài tài
没　有　提　出　离　婚。她　说："我　实　在　太

ài tā le   méi bàn fǎ   wǒ yuè ài tā   tā yuè bù
爱　他　了，没　办　法。我　越　爱　他，他　越　不

xǐ huan wǒ   tā yuè bù xǐ huan wǒ   wǒ jiù yuè
喜　欢　我；他　越　不　喜　欢　我，我　就　越

ài tā
爱　他。"

　　hòu lái   tā de qíng ren zhǎo dào tā jiā lái
　　后　来，他　的　情　人　找　到　她　家　来，

ràng lǐ xuě yí lí hūn   bǎ zhàng fu ràng gěi tā   lǐ
让　李　雪　仪　离　婚，把　丈　夫　让　给　她。李

xuě yí méi yǒu bàn fǎ   zhǐ hǎo gēn zhàng fu shuō
雪　仪　没　有　办　法，只　好　跟　丈　夫　说

le zhè jiàn shì   zhàng fu duì tā shuō   bú huì hé tā
了　这　件　事。丈　夫　对　她　说，不　会　和　她

lí hūn   tā men de ér zi gāng gāng wǔ suì   tā yòu
离　婚。他　们　的　儿　子　刚　刚　五　岁，她　又

rěn le   méi yǒu lí hūn   kě shì méi xiǎng dào   tā
忍　了，没　有　离　婚。可　是　没　想　到，她

zhàng fu hái shi hé nà ge nǚ ren zài yì qǐ   nà shí tā
丈　夫　还　是　和　那　个　女　人　在　一　起。那　时　她

hái hé zhàng fu zài yí ge dān wèi gōng zuò   měi tiān
还　和　丈　夫　在　一　个　单　位　工　作。每　天

shàng bān dōu yǒu ren zài shuō tā   tā zài yě bù néng
上　班　都　有　人　在　说　她，她　再　也　不　能

rěn le   jiù jué dìng lí hūn   cí zhí   yīn wèi tā méi
忍　了，就　决　定　离　婚，辞　职 2。因　为　她　没

1 情人: lover

2 辞职: quit a job
E.g. 在这个公司她挣钱很少，所以她辞职了。

yǒu gōng zuò　ér zi bù néng gēn tā shēng huó　hěn
有　工　作，儿子不　能　跟　她　生　活。狠

xīn de qián fū bú ràng tā jiàn ér zi　zài ér zi shēng
心的　前　夫不　让　她　见儿子。在儿子　生

rì de nà tiān　tā mǎi le xīn yī fu hé dàn gāo sòng
日的那　天，她买了新衣服和蛋　糕　送

qù　tā gāng xià lóu　qián fū jiù bǎ tā sòng de dōng
去。她　刚　下　楼，前　夫就把她　送　的　东

xi cóng chuāng hu li rēng le chū lái　tā zhàn zài
西从　窗　户里扔了出　来。她　站　在

lóu xià　tīng zhe ér zi dà shēng de kū　tā zhēn de
楼　下，听　着儿子大　声　地哭，她　真　的

xiǎng qù sǐ　nà shí tā tài xiǎng ér zi le　tā dào
想　去死。那时她太　想　儿子了，她到

chù zhǎo ér zi　yǒu yì tiān　tā zài jiē shang　kàn
处　找儿子。有一天，她在街　上，看

jiàn ér zi zuò zài yí liàng zì xíng chē hòu miàn　jiù
见儿子坐在一　辆　自行车　后　面，就

qù zhuī　zhuī guò yì tiáo jiē　tā fā xiàn kàn cuò
去追。追　过一条街，她发　现　看错

le　jié guǒ tā bèi qì chē zhuàng shāng le　zài yī
了，结果她被汽车　撞　伤　了。在医

yuàn li　tā zhōng yú xiǎng qīng chu le　xiàng tā
院里，她　终　于　想　清　楚了，像她

zhè yàng　tā shì bú huì dé dào ér zi de　tā bì xū
这　样，她是不会得到儿子的，她必须

xiān ràng zì jǐ shēng huó de hǎo　tā kāi shǐ nǔ lì
先　让自己　生　活得好。她开始努力

gōng zuò　zhèng qián
工　作，挣　钱。

lǐ xuě yí shuō　　wǒ wéi shén me nǔ lì zhèng
李雪仪说："我为什么努力挣

qián　wǒ shì wèi le wǒ ér zi a
钱？我是为了我儿子啊！"

lǐ zǒng yì biān shuō yì biān kū　fāng xīn yě
李总一边说一边哭，方欣也

gēn zhe liú yǎn lèi le　fāng xīn shuō　xuě yí jiě
跟着流眼泪了。方欣说："雪仪姐，

wǒ zhēn méi xiǎng dào nǐ zhè me kǔ　nǐ tài bù róng
我真没想到你这么苦，你太不容

yì le　wǒ yǒu ge péng you shì lǜ shī　wǒ qù bāng
易了。我有个朋友是律师，我去帮

nǐ wèn wen　nǐ zhè zhǒng qíng kuàng zěn me
你问问，你这种情况怎么

bàn
办。"

lǐ xuě yí cā le yí xià yǎn lèi　shuō　kě shì
李雪仪擦了一下眼泪，说："可是

xiàn zài wǒ ér zi zhǎng dà le a　wǒ hòu lái jiàn
现在我儿子长大了啊。我后来见

dào tā　tā hǎo xiàng bú rèn shi wǒ shì de　wǒ shuō
到他，他好像不认识我似的。我说

sòng tā chū guó shàng dà xué　tā hěn lěng mò de
送他出国上大学，他很冷漠地

shuō　suí biàn　wǒ　　　wǒ zài yě zhǎo bù huí yǐ
说，随便。我……我再也找不回以

qián nà ge ér zi le
前那个儿子了。"

lǐ xuě yí zhōng yú kū lèi le　tā pǎo jìn wèi
李雪仪终于哭累了。她跑进卫

shēng jiān   tù le qǐ lái   tù de dào chù dōu shì   tù
生　间，吐了起来，吐得到处都是。吐

guò zhī hòu   fāng xīn bǎ tā fú dào chuáng shang
过之后，方欣把她扶到　床　上　。

tā yì tǎng xià   jiù shuì zháo le   xiàng yí ge shēng
她一躺下，就睡　着了，像一个生

bìng de hái zi yí yàng kě lián   kè tīng de dì shang
病的孩子一样可怜。客厅的地上

hé wèi shēng jiān dōu hěn zāng   fāng xīn zhǐ hǎo rěn
和卫生　间都很脏，方欣只好忍

zhe bǎ kè tīng hé wèi shēng jiān dǎ sǎo gān jìng le
着把客厅和卫生　间打扫干净了。

tā yí kàn biǎo   yǐ jīng shì yè li yì diǎn zhōng le
她一看表，已经是夜里一点　钟了。

dàn shì fāng xīn hái shi bù gǎn zǒu   shéi zhī dào lǐ
但是方欣还是不敢走，谁知道李

zǒng yè li hái huì fā shēng shén me shì   tā zuò zài
总夜里还会发生　什么事。她坐在

kè tīng de shā fā shang   yě bù zhī dào shén me shí
客厅的沙发上　，也不知道什么时

hou jiù shuì zháo le
候就睡　着了。

dì èr tiān zǎo shang fāng xīn xǐng lái   fā xiàn
第二天早上　方欣醒来，发现

zì jǐ shēn shang gài zhe tǎn zi   tā gǎn máng dào
自己身　上　盖着毯子。她赶忙　到

wò shì yí kàn   lǐ zǒng yǐ bú zài fáng jiān li le
卧室一看，李总已不在房　间里了。

zhuō shang liú le zhāng tiáo zi   tiáo zi shang xiě
桌　上　留了张　条子，条子上　写

zhe　　chú fáng yǒu zǎo diǎn　zǒu de shí hou bǎ mén
着："厨 房 有 早 点 ，走 的 时 候 把 门

guān hǎo　　lǐ
关 好 。李 。"

　　fāng xīn zǒu dào jiē shang　jiào le yí liàng chū
　　方 欣 走 到 街 上 ，叫 了 一 辆 出

zū chē　zhè shì yí ge qíng tiān　shù dōu kāi shǐ biàn
租 车 。这 是 一 个 晴 天 ，树 都 开 始 变

lǜ le　dì shang hěn shī　zuó tiān yè li xià yǔ le
绿 了 ，地 上 很 湿 ，昨 天 夜 里 下 雨 了 。

fāng xīn qīng chu de xiǎng qǐ le zuó tiān wǎn shang
方 欣 清 楚 地 想 起 了 昨 天 晚 上

de shì qing　tā yǒu yì diǎn xīng fèn　tā de lǎo bǎn
的 事 情 ，她 有 一 点 兴 奋 。她 的 老 板

bǎ zì jǐ de xīn shì　gào su le tā　hái ràng tā jiào
把 自 己 的 心 事[1] 告 诉 了 她 ，还 让 她 叫

tā xuě yí jiě　jīn tiān zǎo shang tā qǐ lái hòu　yí
她 雪 仪 姐 。今 天 早 上 她 起 来 后 ，一

dìng zhī dào shì fāng xīn zhào gù le tā yí yè　yǐ hòu
定 知 道 是 方 欣 照 顾 了 她 一 夜 。以 后

zài gōng sī de rì zi hǎo guò le　ér qiě tā kě yǐ bǎ
在 公 司 的 日 子 好 过 了 ，而 且 她 可 以 把

xīn shì shuō chū lái　lǐ zǒng yí dìng huì gěi tā miàn
心 事 说 出 来 ，李 总 一 定 会 给 她 面

zi de
子 的 。

　　fāng xīn ná chū shǒu jī　gěi ā míng dǎ diàn
　　方 欣 拿 出 手 机 ，给 阿 明 打 电

huà　ā míng wèn　　zuó wǎn nǐ pǎo dào nǎ qù
话 。阿 明 问 ："昨 晚 你 跑 到 哪 去

1 **心事**: worry, a load on one's mind

E.g. 她的心事很重，她不愿意把心事告诉别人。

le   wǒ yì diǎn zhōng gěi nǐ dǎ diàn huà   nǐ hái
了？我 一 点   钟 给 你 打 电 话，你 还

méi huí jiā   fāng xīn shuō   wǒ de lǎo bǎn hē zuì
没 回 家。"方 欣 说："我 的 老 板 喝 醉

le   wǒ zhào gù le tā yí yè   nǐ bù gāo xìng la
了，我 照 顾 了 她 一 夜。你 不 高 兴 啦？"

ā míng shuō   wǒ méi shén me   jiù shì wéi nǐ dān
阿 明 说："我 没 什 么，就 是 为 你 担

xīn   ma   pà nǐ hé lǎo bǎn fā shēng bù yú kuài de
心 ¹ 嘛，怕 你 和 老 板 发 生 不 愉 快 的

shì   fāng xīn shuō   nǐ fàng xīn   zuó wǎn lǎo
事。"方 欣 说："你 放 心，昨 晚 老

bǎn duì wǒ hěn mǎn yì   děng yí huìr   shàng bān
板 对 我 很 满 意。等 一 会 儿 上 班，

wǒ jiù gēn tā shuō qǐng jià de shì   ā míng gāo
我 就 跟 她 说 请 假 的 事。"阿 明 高

xìng le   shuō   duì   nǐ gǎn kuài shuō   zài bù
兴 了，说："对，你 赶 快 说，再 不

shuō   jiù wǎn le
说，就 晚 了。"

ā míng cān jiā le diàn shì tái de jìng sài   dé
  阿 明 参 加 了 电 视 台 的 竞 赛 ²，得

le jiǎng   tā men liǎng ge ren kě yǐ qù lǚ yóu qī
了 奖 ³，他 们 两 个 人 可 以 去 旅 游 七

tiān   rú guǒ fāng xīn zài bù qǐng jià   ā míng jiù zhǐ
天。如 果 方 欣 再 不 请 假，阿 明 就 只

néng zhǎo tā de péng you qù le   fāng xīn shì fēi
能 找 他 的 朋 友 去 了。方 欣 是 非

cháng xiǎng qù de
常   想 去 的。

1 **担心**：be anxious
about, worry about
E.g. 不用担心，我自
己会把工作做完的。

2 **竞赛**: contest
E.g. 她很喜欢参加
各种竞赛。

3 **得奖**: win a prize
E.g. 他参加了唱歌
比赛，但是他没得奖。

fāng xīn dào le gōng sī   yì biān xiàng tóng shì
方 欣 到 了 公 司 ，一 边 向 同 事

men wèn hǎo   kāi wán xiào   yì biān xiǎng zěn me
们 问 好 、开 玩 笑 ，一 边 想 怎 么

qù jiàn lǐ zǒng   tā zhèng xiǎng zhe   lǐ zǒng jiù
去 见 李 总 。她 正 想 着，李 总 就

jiào tā le   tā zǒu jìn lǐ zǒng de bàn gōng shì   lǐ
叫 她 了 。她 走 进 李 总 的 办 公 室 。李

zǒng zuò zài nàr   hé yǐ qián yí yàng   tā de yǎn
总 坐 在 那 儿，和 以 前 一 样 。她 的 眼

lèi hé jiǔ qì dōu xiàng yì chǎng chūn yǔ yí yàng   bú
泪 和 酒 气 都 像 一 场 春 雨 一 样 ，不

jiàn le   tā kàn jiàn fāng xīn jìn lái   bù gāo xìng de
见 了 。她 看 见 方 欣 进 来，不 高 兴 地

shuō   nǐ zěn me yě bù shōu shi jiù lái shàng bān
说 ：“你 怎 么 也 不 收 拾¹就 来 上 班

le   zán men shì ge dà gōng sī   yào zhù yì zì jǐ de
了 ？咱 们 是 个 大 公 司，要 注 意 自 己 的

xíng xiàng   fāng xīn xiǎng shuō   wǒ bú shì yīn
形 象 。” 方 欣 想 说 ：“我 不 是 因

wéi nǐ cái méi yǒu shí jiān shōu shi ma   tā kàn
为 你 才 没 有 时 间 收 拾 吗 ？” 她 看

jiàn lǐ zǒng de mì shū zài páng biān   jiù méi shuō
见 李 总 的 秘 书 在 旁 边，就 没 说

huà   zhǐ shì diǎn diǎn tóu   mì shū gěi tā dào le yì
话 ，只 是 点 点 头 。秘 书 给 她 倒 了 一

bēi shuǐ   jiù chū qù le   lǐ zǒng tóu yě méi tái
杯 水 ，就 出 去 了 。李 总 头 也 没 抬，

shuō   zuò ba
说 ：“坐 吧 。”

1 收拾: tidy up; make
one neat and orderly in
appearance
E.g. 她把房间收拾
好了。
E.g. 她起床以后，吃
完早饭，收拾了一下
就上班去了。

fāng xīn zhè cái bù jǐn zhāng le   zuò xià lái   hē
方 欣 这 才 不 紧 张 了，坐 下 来，喝

le kǒu shuǐ shuō   xuě yí jiě nǐ hǎo xiē le ma
了 口 水，说："雪 仪 姐，你 好 些 了 吗？"

lǐ zǒng hěn chī jīng   shuō   nǐ jiào wǒ shén
李 总 很 吃 惊，说："你 叫 我 什

me   fāng xīn yě hěn chī jīng   tā xiǎng   shì tā
么？"方 欣 也 很 吃 惊。她 想，是 她

wàng le zuó wǎn de shì qing   hái shi jiǎ zhuāng
忘 了 昨 晚 的 事 情，还 是 假 装

wàng le   fāng xīn mǎ shàng gǎi kǒu shuō   lǐ
忘 了？方 欣 马 上 改 口 说："李

zǒng   nǐ zhǎo wǒ
总，你 找 我？"

lǐ zǒng shuō   nǐ mǎ shàng bǎ zuó wǎn tán de
李 总 说："你 马 上 把 昨 晚 谈 的

hé tong xiě hǎo   chuán zhēn gěi kè hù kàn yí xià
合 同 写 好， 传 真 ¹给 客 户 看 一 下。

yào kuài diǎn   jīn tiān jiù bǎ hé tong xiě hǎo
要 快 点，今 天 就 把 合 同 写 好。"

fāng xīn diǎn tóu   zhàn zài nàr   shuō bù chū
方 欣 点 头，站 在 那 儿，说 不 出

huà lái
话 来。

lǐ zǒng jiàn tā zhàn zhe bú dòng   shuō   nǐ
李 总 见 她 站 着 不 动，说："你

hái yǒu shén me wèn tí ma
还 有 什 么 问 题 吗？"

fāng xīn shuō   lǐ zǒng   wǒ xiǎng qǐng yí ge
方 欣 说："李 总，我 想 请 一 个

---

1 传真: fax

E.g. 我收到了一个传真。

E.g. 请你把传真给公司发过去。

xīng qī de jià wǒ nán péng you ràng wǒ hé tā yì qǐ
星 期 的 假。我 男 朋 友 让 我 和 他 一 起
qù lǚ yóu
去 旅 游 。"

lǐ zǒng shuō nǐ zěn me cái lái le jǐ ge yuè
李 总 说 : "你 怎 么 才 来 了 几 个 月
jiù xiǎng chū qù wánr le wǒ hái gēn bié rén
就 想 出 去 玩 儿 了？我 还 跟 别 人
shuō nǐ shì shuò shì wǒ kàn zhòng ¹ nǐ yǒu shén
说 , 你 是 硕 士！我 看 重 ¹ 你 有 什
me yòng nǐ děi zì jǐ kàn zhòng nǐ zì jǐ nǐ méi
么 用 ，你 得 自 己 看 重 你 自 己。你 没
kàn jiàn xiàn zài gōng sī shì zuì máng de shí hou
看 见 现 在 公 司 是 最 忙 的 时 候
ma táng jiǔ huì mǎ shàng jiù yào kāi shǐ le wǒ
吗？糖 酒 会 马 上 就 要 开 始 了，我
men de shì qing hěn duō nǐ hái xiǎng qù lǚ yóu nǐ
们 的 事 情 很 多，你 还 想 去 旅 游，你
hái zhēn xiǎng de chū lái
还 真 想 得 出 来！"

fāng xīn zhàn qǐ lái wǎng wài zǒu tā hěn qí
方 欣 站 起 来 往 外 走。她 很 奇
guài zhè cì tā méi yǒu xiǎng dào cí zhí gāng zǒu
怪 ，这 次 她 没 有 想 到 辞 职。刚 走
dào mén kǒu lǐ zǒng hǎn tā xiǎo fāng nǐ
到 门 口，李 总 喊 她 : "小 方，你
děng yí xià
等 一 下 。"

lǐ zǒng zǒu guò lái dì gěi tā yí ge xìn fēng
李 总 走 过 来，递 给 她 一 个 信 封，

1 **看重**: pay respect to
E.g. 她很看重这份
工作，所以他工作很
努力。

shuō　　　zhè duàn shí jiān nǐ hěn lèi　 zhè shì gěi nǐ
说 ：" 这 段 时 间 你 很 累 ， 这 是 给 你

de jiǎng jīn
的 奖 金 [1] 。"

　　fāng xīn jiē guò xìn fēng　　hái tǐng hòu de　　tā
　　方 欣 接 过 信 封 ， 还 挺 厚 的 。她

dāi dāi de shuō　　xiè xie　lǐ zǒng
呆 呆 地 说 :" 谢 谢 ， 李 总 。"

　　fāng xīn zǒu chū　lǐ zǒng de bàn gōng shì　　shēn
　　方 欣 走 出 李 总 的 办 公 室 ， 深

shēn hū chū yì kǒu qì　　kàn dào chuāng wài de lǜ
深 呼 出 一 口 气 。看 到 窗 外 的 绿

shù　　tā gǎn dào chūn tiān shì zuì měi lì de jì jié
树 ，她 感 到 春 天 是 最 美 丽 的 季 节 。

1 **奖金**: bonus
E.g. 他工作很努力，
所以他的奖金也很
高。

This story is an abridged version of Qiu Shanshan's short story A Spring Evening *, which was published on* Xiaoshuo Yuebao (小说月报), *No.11, 2003.*

About the author Qiu Shanshan (裘山山):

Qiu Shanshan is one of the noteworthy contemporary writers in China. She was born in 1958, in Hangzhou. She joined the Army in 1976. She graduated from the Chinese Department of Sichuan Normal University in 1983. Now she is a writer for the literary writing office of Chengdu Military Area Command. She is a member of China Writers' Association and vice chairman of Sichuan Writers' Association. In 1984, she began to publish her works. She is a prolific writer and has published works of about three million characters. She has published novels 我在天堂等你, 到处都是寂寞的心; collections of short stories: 裘山山小说精选, 白罂粟; collections of novellas, collections of essays, biographical literature, and some film and television plays. Her works won the Sicnuan Literature Prize(四川文学奖), Short Story Prize of China Writers, Literature Prizes of *Kunlun* （昆仑） and *Dangdai* （当代）, Novel Prize of *Sichuan Literature* （四川文学）. Her short stories 幸福像花开放, 保卫樱桃, 我讲的最后一个故事 won the eighth, ninth, and tenth Baihua Prizes of *Xiaoshuo Yuebao* (小说月报). Some of her works are translated into English, Japanese, and Korean.

思考题：

1. 方欣的性格怎么样？
2. 李总为什么只让方欣跟她一起请男客户吃饭、谈生意？
3. 你觉得故事中的晚宴有趣吗？ 为什么？
4. 方欣的语言很有趣，你能找出几个例子吗？
5. 李总拼命挣钱，她就会在生活中找到幸福吗？
6. 你觉得方欣在晚宴之前和晚宴之后有什么不同？
7. 你觉得白领女性应该怎样对待现实生活？

sì　　zǎo ān běi jīng
四、早安，北京

yuánzhù xú kūn
原 著：徐 坤

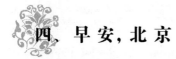 四、早安，北京

Guide to reading:

Beijing, the capital of China, is the location of many historic sites and famous universities. Many people hope to go to study, work, live, and travel in Beijing. The story *Good Morning, Beijing* describes changes in the lives and minds of people in the past 20 years. The protagonist Zeyuan enters Beijing University from the north-east part of China. After graduation, he is assigned to a governmental department in Beijing. Having lived in Beijing for more than 20 years, he now lives a white-collar life. This success is tempered by a feeling that something is lacking in his life. Zeyuan's second uncle is a typical Chinese peasant character. He lives in the countryside in the north-east part of China. Having become rich, he can afford bringing his family to tour in Beijing. The characters in the story are very common in real life. The second uncle's family speaks a north-eastern dialect which is considered humorous by those outside that area of the country. While Zeyuan guides his relatives to visit the old sites, he can not help recalling his own past. The story also reflects many differences between cities and countryside, as well as different life styles of city dwellers and countrymen.

故事正文：

zé yuán shì dōng běi rén　èr shí duō nián yǐ
泽 原 是 东 北 人。二 十 多 年 以

qián　tā de xué xí chéng jì fēi cháng hǎo　gāo
前，他 的 学 习 成 绩 非 常 好。高

zhōng bì yè de shí hou tā kǎo le běi jīng dà xué　dà
中 毕 业 的 时 候 他 考 了 北 京 大 学。大

xué bì yè yǐ hòu　tā liú zài běi jīng guó jiā jī guān
学 毕 业 以 后，他 留 在 北 京 国 家 机 关

gōng zuò　xiàn zài tā shì yí ge chù zhǎng　guò
工 作。现 在 他 是 一 个 处 长[1]，过

shàng le bái lǐng shēng huó　tā yǒu le dà fáng zi
上 了 白 领 生 活。他 有 了 大 房 子，

yǒu le qì chē　hái yǒu yí ge nián qīng piào liang de
有 了 汽 车，还 有 一 个 年 轻 漂 亮 的

qī zǐ
妻 子。

　　zé yuán de mǔ qin　zhù zài dōng běi de cháng
　　泽 原 的 母 亲[2]住 在 东 北 的 长

chūn shì　yì tiān tā mǔ qin gěi tā dǎ diàn huà
春 市[3]。一 天 他 母 亲 给 他 打 电 话，

gào su tā　dōng běi nóng cūn de èr jiù　yì jiā yào
告 诉 他，东 北 农 村 的 二 舅[4]一 家 要

lái běi jīng lǚ yóu　ràng tā jiē dài　yí xià　zhè ge
来 北 京 旅 游，让 他 接 待[5]一 下。这 个

èr jiù shì zé yuán mǔ qin de dì èr ge gē ge　zé yuán
二 舅 是 泽 原 母 亲 的 第 二 个 哥 哥，泽 原

jiào tā èr jiù　xiàn zài nóng cūn de shēng huó bǐ yǐ
叫 他 二 舅。现 在 农 村 的 生 活 比 以

1 处长: section chief

2 母亲: mother

3 长春市: the capital city of Jilin Province in the north of China

4 二 舅 : mother's second brother

5 接待:receive (guests or visitors)

E.g. 今天公司老板让我接待客户，我得准备准备。

qián hǎo le　èr jiù yì jiā yě yǒu qián le　èr jiù de
前 好 了，二 舅 一 家 也 有 钱 了。二 舅 的

sūn zi jiào lín yào zōng　xiàn zài shàng gāo zhōng
孙 子 叫 林 耀 宗 ， 现 在 上 高 中，

xué xí chéng jì hěn hǎo　lǎo shī shuō tā kě yǐ kǎo
学 习 成 绩 很 好。老 师 说 他 可 以 考

shang zhōng guó zuì hǎo de dà xué　èr jiù fēi
上 中 国 最 好 的 大 学，二 舅 非

cháng gāo xìng　èr jiù tīng shuō běi jīng dà xué shì
常 高 兴。二 舅 听 说 北 京 大 学 是

zuì hǎo de dà xué　tā jiù dài zhe jiù mā hé sūn zi
最 好 的 大 学，他 就 带 着 舅 妈¹和 孙 子²

yì qǐ lái běi jīng lǚ yóu　kàn kan běi jīng dà xué
一 起 来 北 京 旅 游，看 看 北 京 大 学

shén me yàng
什 么 样。

　　zé yuán jiē dào mǔ qin de diàn huà　suī rán tā
　　泽 原 接 到 母 亲 的 电 话，虽 然 他

bù xiǎng jiē dài　dàn shì tā yòu bù néng jù jué　tā
不 想 接 待，但 是 他 又 不 能 拒 绝³，他

zhǐ yǒu tóng yì le　zé yuán bú huì shuō　bù
只 有 同 意 了。泽 原 不 会 说 "不"，

zhè shì tā de xìng gé　yīn cǐ　tā cháng cháng zuò
这 是 他 的 性 格。因 此，他 常 常 做

yì xiē tā bù xǐ huan zuò de shì qing　tā de zhè
一 些 他 不 喜 欢 做 的 事 情。他 的 这

zhǒng xìng gé cháng cháng gěi tā dài lái hěn duō
种 性 格 常 常 给 他 带 来 很 多

má fan
麻 烦。

1 舅妈: wife of mother's brother

2 孙子: grandson

3 拒绝: refuse
E.g. 她的朋友给她
介绍了一个男朋友，
她拒绝了。

zhè ge zhōu mò　èr jiù yì jiā jiù yào lái běi jīng
这 个 周 末，二 舅 一 家 就 要 来 北 京

le　mǔ qin ràng tā qù huǒ chē zhàn jiē tā men　tā
了，母 亲 让 他 去 火 车 站 接 他 们。他

xīn li zhēn shì bù gāo xìng　tā měi tiān cóng shàng
心 里 真 是 不 高 兴。他 每 天 从 上

wǔ jiǔ diǎn dào xià wǔ wǔ diǎn dōu zài bàn gōng shì
午 九 点 到 下 午 五 点 都 在 办 公 室

gōng zuò　měi tiān yǒu xǔ duō shì qing yào zuò　tā
工 作，每 天 有 许 多 事 情 要 做。他

de gōng zuò dān wèi¹ lí jiā hěn yuǎn　kāi chē yào
的 工 作 单 位¹离 家 很 远，开 车 要

yí ge bàn xiǎo shí　tā měi tiān dōu hěn lèi　měi ge
一 个 半 小 时。他 每 天 都 很 累，每 个

zhōu mò tā dōu yào hǎo hāo shuì yí jiào　suī rán tā
周 末 他 都 要 好 好 睡 一 觉。虽 然 他

zhù de fáng zi hěn dà　hěn kuān　yǒu yì bǎi bā shí
住 的 房 子 很 大、很 宽，有 一 百 八 十

duō píng fāng mǐ　dàn shì tā yǐ jīng xí guàn le fū
多 平 方 米，但 是 他 已 经 习 惯 了 夫

qī èr rén de shēng huó　jiā li tū rán lái le kè rén
妻 二 人 的 生 活。家 里 突 然 来 了 客 人，

tā jiù jué de hěn bù fāng biàn
他 就 觉 得 很 不 方 便。

lìng wài　tā yě bú rèn shi zhè ge èr jiù　tā mǔ
另 外，他 也 不 认 识 这 个 二 舅。他 母

qin dān xīn² tā bù huān yíng èr jiù　yòu gěi tā dǎ
亲 担 心²他 不 欢 迎 二 舅，又 给 他 打

diàn huà　gēn tā shuō　zhè ge èr jiù wèi le bāng
电 话，跟 他 说，这 个 二 舅 为 了 帮

1 工作单位：work
unit
E.g. 我的工作单位
是北京电视台。

2 担心：worry about
E.g. 母亲的身体不
好，我很担心。

zhù tā mǔ qin shàng xué　zì jǐ zhǐ shàng le liǎng
助 他 母 亲 上 学，自 己 只 上 了 两

nián de xué　jiù huí jiā zhèng qián le　rú guǒ méi
年 的 学，就 回 家 挣 钱 了。如 果 没

yǒu èr jiù de bāng zhù　tā mǔ qin jiù bù néng cóng
有 二 舅 的 帮 助，他 母 亲 就 不 能 从

xiǎo xué dú dào dà xué　yě bù kě néng yǒu xiàn zài
小 学 读 到 大 学，也 不 可 能 有 现 在

de shēng huó
的 生 活。

　　zé yuán dǒng le　mǔ qin ràng tā jiē dài èr jiù
　　泽 原 懂 了，母 亲 让 他 接 待 二 舅

jiù shì yīn wèi mǔ qin xiǎng gǎn xiè èr jiù　zài zé yuán
就 是 因 为 母 亲 想 感 谢 二 舅。在 泽 原

hěn xiǎo de shí hou　mǔ qin hěn shǎo shuō nóng cūn
很 小 的 时 候，母 亲 很 少 说 农 村

qīn qi de shì　mǔ qin jié hūn yǐ hòu　gēn nóng cūn
亲 戚[1]的 事。母 亲 结 婚 以 后，跟 农 村

de qīn qi lái wǎng hěn shǎo　mǔ qin tuì xiū　yǐ hòu
的 亲 戚 来 往 很 少。母 亲 退 休[2]以 后，

cái kāi shǐ hé nóng cūn de qīn qi men lái wǎng　kě
才 开 始 和 农 村 的 亲 戚 们 来 往，可

shì　zé yuán yǐ jīng lí kāi jiā lái běi jīng le　yīn cǐ
是，泽 原 已 经 离 开 家 来 北 京 了。因 此，

tā duì mǔ qin de qīn qi liǎo jiě de bù duō　zhè ge èr
他 对 母 亲 的 亲 戚 了 解 得 不 多。这 个 二

jiù　zé yuán jiù méi jiàn guò miàn
舅，泽 原 就 没 见 过 面。

　　wèi le jiē dài èr jiù yì jiā　zé yuán zài xīng qī
　　为 了 接 待 二 舅 一 家，泽 原 在 星 期

1 亲戚: relative
E.g. 他的亲戚很多，
过年的时候，他们家
很热闹。

2 退休: retire
E.g. 父母退休以后
经常锻炼身体，他们
生活得很愉快。

六早上五点钟就开车去火车站了。一路上他很困[1]。他已经很多年没有到火车站接人了，没有看到北京这么早的太阳了。才早上六点半，太阳就已经像一个大火球挂在天边，照得人睁不开眼睛[2]。在火车站，一群群的旅客下了火车，朝出站口走过来。很多人都是放暑假来北京旅游的。他们是坐夜车来的，车站充满了难闻的气味。出站口很拥挤[3]，人们一个个地从很小的口子里挤出来。

泽原站在出站口外面，有时候看看人群，有时候看看火

1 困: sleepy
E.g. 昨天夜里她工作得很晚，今天上午她感到很困。

2 睁不开眼睛: The sun is too dazzling, it is hard to open one's eyes.

3 拥挤: crowded
E.g. 今天这家商店打折，商店里人很多，很拥挤。

chē jìn zhàn de pái zi　èr shí jǐ nián guò qù le
车 进 站 的 牌子。二 十 几 年 过 去 了，
huǒ chē zhàn hǎo xiàng méi yǒu duō dà gǎi biàn　zé
火 车 站 好 像 没 有 多 大 改 变。泽
yuán xiǎng dào tā gāng lái běi jīng de shí hou　tā hé
原 想 到 他 刚 来 北 京 的 时 候，他 和
zhè xiē lǚ kè yí yàng　xīng fèn de zuò zhe huǒ chē
这 些 旅 客 一 样，兴 奋 地 坐 着 火 车
lái dào běi jīng　tā zǒu dào huǒ chē zhàn guǎng
来 到 北 京。他 走 到 火 车 站　广
chǎng shang　zǒu dào huān yíng xīn dà xué shēng de
场 上，走 到 欢 迎 新 大 学 生 的
pái zi xià miàn
牌 子 下 面。

　　huǒ chē zhàn zhè li chōng mǎn le　jī qíng
　　火 车 站 这 里 充 满 了 激 情 [1]，
dàn zhè li yě zǒng shì hěn luàn　hěn yōng jǐ　zé
但 这 里 也 总 是 很 乱、很 拥 挤。泽
yuán zhàn le yí huìr　jiù jué de tóu yūn　tū rán
原 站 了 一 会 儿，就 觉 得 头 晕 [2]。突 然
tā tīng dào guǎng bō li tōng zhī　èr jiù yì jiā zuò
他 听 到 广 播 里 通 知，二 舅 一 家 坐
de huǒ chē yǐ jīng dào le　zé yuán gǎn máng xiàng
的 火 车 已 经 到 了。泽 原 赶 忙 向
rén qún zhōng zǒu qù　jǔ qǐ shǒu li de pái zi　tā
人 群 中 走 去，举 起 手 里 的 牌 子。他
kàn zhe zǒu chū lái de rén　yì diǎn yě bù gǎn dào
看 着 走 出 来 的 人，一 点 也 不 感 到
xīng fèn
兴 奋。

1 激情：enthusiasm,
passion
E.g. 年轻人对生活
充满了激情。

2 头晕: dizzy
E.g. 今天她身体不
太舒服,有点头晕,就
没有去上班。

chū zhàn de rén kuài yào zǒu wán le　　zé yuán
出 站 的 人 快 要 走 完 了，泽 原

yì zhí děng zài nà li　 tiān qì tài rè le　 tā bù tíng
一 直 等 在 那 里。天 气 太 热 了，他 不 停

de chū hán　 tā de chèn shān yě shī le　 zhè shí tā
地 出 汗¹，他 的 衬 衫 也 湿 了。这 时 他

kàn dào jǐ ge rén zài tā páng biān zǒu lái zǒu qù　 yí
看 到 几 个 人 在 他 旁 边 走 来 走 去。一

ge lǎo rén zhōng yú zǒu dào tā miàn qián　 kàn zhe
个 老 人 终 于 走 到 他 面 前，看 着

tā de liǎn　 shuō　　 nǐ shì lǎo gǒng jiā de gǒng zé
他 的 脸，说："你 是 老 巩 家 的 巩 泽

yuán ba　 bié jǔ pái zi le　 yí kàn nǐ de liǎn　 jiù
原²吧？别 举 牌 子 了，一 看 你 的 脸，就

shì zán men jiā de rén　 nǐ de liǎn gēn nǐ mā de liǎn
是 咱 们 家 的 人。你 的 脸 跟 你 妈 的 脸

yí yàng
一 样。"

　 zé yuán yí xià dāi　 zhù le　　 tā bǎ pái zi fàng
泽 原 一 下 呆³住 了。他 把 牌 子 放

xià lái　 kàn zhe zhè ge lǎo rén　 zhè ge lǎo rén pí fū
下 来，看 着 这 个 老 人。这 个 老 人 皮 肤

hěn hēi　 liǎn shang zhòu wén　 hěn duō　 tā chuān
很 黑，脸 上 皱 纹⁴很 多。他 穿

le yí jiàn bèi xīn　 yì shuāng hěn jiù de sù liào liáng
了 一 件 背 心⁵，一 双 很 旧 的 塑 料 凉

xié　 lǐ bian de jiǎo yòu zāng yòu hēi　 lǎo rén xiào
鞋⁶，里 边 的 脚 又 脏 又 黑。老 人 笑

zhe　 lù chū le zuǐ li de huáng yá
着，露 出 了 嘴 里 的 黄 牙。

---

1 出 汗：perspire, sweat
E.g. 今天真热，我一直在不停地出汗。

2 巩 is the surname. 泽原 is frist name.

3 呆：dumbstruck
E.g. 他站在那儿，一动不动地发呆。

4 皱纹：wrinkle
E.g. 母亲老了，脸上的皱纹越来越多了。

5 背心：vest
E.g. 夏天太热，人们都穿背心。

6 塑料凉鞋：plastic sandal
E.g. 下午我们去海边，你最好穿塑料凉鞋。

泽 原 说 道 ："您 是 …… 您 是 ……
二 舅 。"

二 舅 说 ："呦 嗬，自 己 家 的 舅 舅，还
能 有 假!"

老 人 听 到 泽 原 叫 他 二 舅，才 开
始 露 出 了 笑 容 。

泽 原 心 里 想，母 亲 的 哥 哥 怎 么
会 是 这 个 样 子，像 一 个 进 城 打
工 的 人 。

再 看 老 头 的 身 后，跟 着 一 个 年
老 的 妇 女 ¹，个 子 很 高，很 瘦，头 发
花 白，穿 一 件 蓝 色 带 小 白 花 的
衬 衫 。她 身 边，还 站 着 一 个 一 米
八 高 的 大 男 孩，很 瘦，大 眼 睛，皮 肤
很 黑，上 嘴 唇 刚 刚 长 出 了 胡

1 妇女: woman
E.g. 妇女能顶半边
天 (women in the new
society can hold half of
the sky)。

chár
茬 儿 [1]。这 确 实 是 母 亲 在 电 话 里 说
zhè què shí shì mǔ qin zài diàn huà li shuō

de èr jiù jiù mā hé sūn zi de jiā tíng lǚ yóu tuán
的 二 舅、舅 妈 和 孙 子 的 家 庭 旅 游 团 。

　　zé yuán gǎn máng xiào zhe jiào èr jiù jiù mā
　　泽 原 赶 忙 笑 着 叫 二 舅、舅 妈,

yòu pāi le pāi nán hái shuō le shēng xīn kǔ le
又 拍 了 拍 男 孩, 说 了 声 辛 苦 [2] 了,

bāng tā men ná dōng xi dài zhe tā men xiàng tíng
帮 他 们 拿 东 西,带 着 他 们 向 停

chē de dì fang zǒu qù
车 的 地 方 走 去。

　　dàn shì bù zhī wèi shén me tā men bù zǒu
　　但 是,不 知 为 什 么,他 们 不 走,

huí tóu wǎng hòu kàn zé yuán yě zhǐ hǎo zhàn zài
回 头 往 后 看,泽 原 也 只 好 站 在

nàr zhè shí tā kàn jiàn liǎng ge zhōng nián fù nǚ
那 儿。这 时 他 看 见 两 个 中 年 妇 女

hé yí ge shí bā jiǔ suì de gū niang zǒu guò lái
和 一 个 十 八 九 岁 的 姑 娘 走 过 来。

　　èr jiù jiè shào shuō zhè shì nǐ èr sǎo sān sǎo
　　二 舅 介 绍 说:"这 是 你 二 嫂、三 嫂 [3]。

zhè shì nǐ sān sǎo de nǚ ér xiǎo yàn
这 是 你 三 嫂 的 女 儿 小 燕。"

　　zé yuán bèi xià le yí tiào xià de zài yě bú
　　泽 原 被 吓 [4] 了 一 跳,吓 得 再 也 不

kùn le tā xīn li shuō tiān na zěn me lái zhè me
困 了。他 心 里 说,天 哪,怎 么 来 这 么

duō rén mǔ qin zài diàn huà li shuō zhǐ yǒu sān ge
多 人!母 亲 在 电 话 里 说 只 有 三 个

1 胡茬儿: beard stubble

2 辛苦: hard; laborious
E.g. 辛苦了! (a polite word to show concern to one who has finished doing something)

3 嫂: the elder brother's wife
E.g. 二嫂: the second elder bother's wife; 三嫂: the third elder brother's wife. Here "二嫂"、"三嫂"are the second uncle's daughter-in-laws.

4 吓: scare
E.g. 他突然从门后边出来,吓了我一跳 (give me a shock)。
E.g. 你说话的声音小一点,别吓着孩子。

rén zěn me lái le liù ge   zhè zhēn chéng le yí ge
人 ，怎 么 来 了 六 个 ？ 这 真 成 了 一 个

lǚ yóu tuán le   èr sǎo   hǎo xiàng liù shí suì de
旅 游 团 了。二 嫂， 好 像 六 十 岁 的

yàng zi   yí kàn jiù shì hěn xīn kǔ de nóng cūn fù
样 子，一 看 就 是 很 辛 苦 的 农 村 妇

nǚ   sān sǎo dà gài sì shí duō suì de yàng zi   hěn
女。三 嫂 大 概 四 十 多 岁 的 样 子，很

xīng fèn   chuān zhe yì shuāng gāo gēn xié   yǎn
兴 奋， 穿 着 一 双 高 跟 鞋 ¹，眼

jing hé méi mao hěn xì   hěn cháng   liǎn shang
睛 和 眉 毛 ² 很 细、很 长 ， 脸 上

huà zhuāng huà de hěn bái   tā de huà hěn duō   zé
化 妆 化 得 很 白。她 的 话 很 多，泽

yuán bù zhī dào tā shì zuò shén me gōng zuò de
原 不 知 道 她 是 做 什 么 工 作 的。

páng biān zhàn zhe tā de nǚ ér   yàng zi bú xiàng
旁 边 站 着 她 的 女 儿， 样 子 不 像

tā mā ma   chuān zhe yì tiáo kāi kǒu hěn dī de qún
她 妈 妈， 穿 着 一 条 开 口 很 低 的 裙

zi   yǎn jing hěn dà
子，眼 睛 很 大。

　　zé yuán kàn le kàn zhè yì jiā rén   yì biān jiǎ
　　泽 原 看 了 看 这 一 家 人，一 边 假

xiào zhe   yì biān xīn li jiào kǔ   tā xīn li shuō
笑 着， 一 边 心 里 叫 苦。他 心 里 说 ，

mǔ qin zěn me ràng zì jǐ jiē dài zhè xiē rén
母 亲 怎 么 让 自 己 接 待 这 些 人。

　　mǔ qin gēn tā shuō guò   èr jiù yǐ qián jiā li
　　母 亲 跟 他 说 过，二 舅 以 前 家 里

1 高跟鞋: high-heeled shoe

E.g. 她不喜欢穿高跟鞋，走路不方便。

2 眉毛: eyebrow

E.g. 她的眉毛很细、很长，不用化妆也很漂亮。

hěn qióng　　yì zhí zhù zài nóng cūn　hěn shǎo yǒu
很 穷 [1]，一直 住 在 农 村，很 少 有

jī huì chū lái　zhè jǐ nián tā bàn le yí ge xiǎo
机 会 出 来。这 几 年 他 办 了 一 个 小

gōng chǎng　shēng huó hǎo le　yǒu qián le　jiù
工 厂，生 活 好 了，有 钱 了，就

xiǎng chū lái lǚ yóu le　zhè cì tā men lái běi jīng lǚ
想 出 来 旅 游 了。这 次 他 们 来 北 京 旅

yóu　shì yīn wèi èr jiù de sūn zi lín yào zōng xué xí
游，是 因 为 二 舅 的 孙 子 林 耀 宗 学 习

bú cuò　lǎo shī shuō　tā míng nián yí dìng néng kǎo
不 错。老 师 说，他 明 年 一 定 能 考

shàng yí ge hǎo dà xué　èr jiù tè bié gāo xìng　tā
上 一 个 好 大 学。二 舅 特 别 高 兴。他

tīng lǎo shī shuō běi jīng dà xué shì zuì hǎo de dà xué
听 老 师 说 北 京 大 学 是 最 好 的 大 学，

èr jiù shuō　nà zán men jiù kǎo běi jīng dà xué　zhè
二 舅 说，那 咱 们 就 考 北 京 大 学！这

cì èr jiù dài sūn zi lái běi jīng lǚ yóu　jiù shì xiǎng
次 二 舅 带 孙 子 来 北 京 旅 游，就 是 想

kàn kan běi jīng dà xué shén me yàng
看 看 北 京 大 学 什 么 样！

　　zé yuán jué de èr jiù de jué dìng hěn yǒu yì yì
　　泽 原 觉 得 二 舅 的 决 定 很 有 意 义，

suǒ yǐ tā bù hǎo yì si jù jué tā men
所 以 他 不 好 意 思 拒 绝 他 们 。

　　èr jiù de jiā tíng lǚ yóu tuán xiàn zài shì liù ge
　　二 舅 的 家 庭 旅 游 团 现 在 是 六 个

rén le　zé yuán gǎn dào hěn má fan　tā qī zǐ méi
人 了。泽 原 感 到 很 麻 烦。他 妻 子 梅

3 穷: poor
E.g. 以前他家很穷，
后来他家办了一个小
工厂，他们的日子就
富裕了。

梅 是 不 欢 迎 客 人 来 家 里 住 的。他 跟

他 妻 子 商 量 了 很 长 时 间，梅 梅

才 同 意 让 二 舅 一 家 三 个 人 住 在 家

里。现 在 突 然 来 了 这 么 多 人，如 果 泽

原 领 他 们 到 家 里 住，他 妻 子 会 更

不 高 兴。梅 梅 是 泽 原 的 第 二 个 妻

子，比 泽 原 小 十 岁，年 轻 漂 亮。

她 的 脾 气 不 好。只 要 她 不 高 兴，她 就

发 脾 气¹，什 么 事 都 做 得 出 来。梅 梅

是 北 京 人，她 看 不 起² 东 北 的 穷 亲

戚，更 不 欢 迎 他 们。

　　泽 原 跟 二 舅 一 家 站 在 广 场

上 ，很 快 就 有 人 走 过 来。这 些 人

是 介 绍 小 旅 店 的。这 些 小 旅 店 条

件 非 常 差，常 常 被 人 们 称

1 发脾气: lose one's temper

E.g. 他妻子的脾气不好，总是对他发脾气。

2 看不起: look down upon; 看得起, think highly of

E.g. 有的城里人看不起乡下人。

为"黑店"[1]。泽原领着二舅一家人离开他们。泽原想了一下,他的车坐不下六个人,他就不去取车了,领着他们去出租车站。先坐出租车到他的办公室,然后他再想办法安排这些亲戚们。

出租车站很乱,很拥挤。有的人不排队,前面的出租车开不了,后面的出租车就只好等着,人们也只好等着。以前只有地铁[2]拥挤,现在出租车也挤了。在后边排队的人很着急。二舅、舅妈被人群挤着,不停地擦汗[3]。三嫂不停地说话,好像她什么都知道,什么都懂,让人感到讨厌。

1 黑店: illegal and un-registered shop or hotel
E.g. 在旅游的时候,不要住黑店。黑店的条件差,又不安全。

2 地铁: metro, subway
E.g. 巴黎的地铁非常方便。

3 擦汗: wipe the sweat

sān sǎo shuō　　āi ya mā ya　　běi jīng rén yě
三　嫂　说　：“哎呀妈呀¹，北京人也

bù zǎ yàng a　　chuān de yě bù rú ǎn men nà gā²
不咋样　啊！穿　得也不如俺们那旮²

hǎo ne　　běi jīng de huǒ chē zhàn yě bù rú cháng
好呢！北京的火车站也不如　长

chūn de hǎo　　zhè me xiǎo　　zhè me pò ya　　chū zū
春的好，这么小、这么破呀？出租

chē hái shi pò xià lì　　ǎn men nà gā zǎo jiù huàn
车还是破夏利，俺们那旮早就换

sāng tǎ nà　 le　　tā shuō yì kǒu dōng běi huà
桑塔纳³了。”她说一口东北话，

shēng yīn yòu gāo yòu jiān　　hěn duō rén dōu kàn zhe
声音又高又尖，很多人都看着

tā　　tā de nǚ ér xiǎo yàn gǎn dào bù hǎo yì si
她。她的女儿小燕感到不好意思，

shuō　　mā　 nǐ jiù shǎo shuō jǐ jù ba
说：“妈，你就少说几句吧！”

　　tīng le nǚ ér de huà　　sān sǎo jiù bù shuō huà
　　听了女儿的话，三嫂就不说话

le　　xiǎo yàn gěi zé yuán de yìn xiàng hái bú cuò
了。小燕给泽原的印象还不错。

zé yuán duì běi jīng chē zhàn de luàn gǎn dào hěn yí
泽原对北京车站的乱感到很遗

hàn　　tā qù guò yìn dù　　āi jí　　ní bó ěr　　tǔ ěr
憾。他去过印度、埃及、尼泊尔、土耳

qí⁴　　tā fā xiàn zhè xiē fā zhǎn zhōng guó jiā de
其⁴，他发现这些发展　中　国家的

wèn tí dōu yí yàng　　zhè xiē dà chéng shì dōu shì rén
问题都一样。这些大城市都是人

1 哎呀妈呀: (the north
dialect) expression of
amazement

2 俺们那旮: (the north
dialect) 我们那儿

3 "夏利"和"桑塔纳":
brands of cars

4 印度: India; 埃及:
Egypt; 尼泊尔:
Nepal; 土耳其:
Turkey

kǒu duō huán jìng chà běi jīng bǐ zhè xiē chéng shì
口 多 、环 境 差 。北 京 比 这 些 城 市
hǎo duō le
好 多 了 。

zé yuán yì biān ān wèi qīn qi men yì biān pái
泽 原 一 边 安 慰 亲 戚 们 一 边 排
duì tā fā xiàn nán hái lín yào zōng de dà yǎn jing
队 。他 发 现 男 孩 林 耀 宗 的 大 眼 睛
zǒng shì zài zhù yì zì jǐ lín yào zōng zǒng shì gēn
总 是 在 注 意 自 己 。林 耀 宗 总 是 跟
zài tā de shēn hòu tā zuò shén me lín yào zōng jiù
在 他 的 身 后 ,他 做 什 么 ,林 耀 宗 就
zuò shén me hěn shǎo shuō huà zhào gù zhe yì
做 什 么 ,很 少 说 话 ,照 顾 着 一
qún lǎo rén hé fù nǚ měi cì tā kàn lín yào zōng de
群 老 人 和 妇 女 。每 次 他 看 林 耀 宗 的
shí hou lín yào zōng dōu bù hǎo yì si zé yuán jué
时 候 ,林 耀 宗 都 不 好 意 思 。泽 原 觉
de lín yào zōng zhè ge hái zi hěn xiàng yǐ qián de zì
得 林 耀 宗 这 个 孩 子 很 像 以 前 的 自
jǐ cōng míng ān jìng hǎo xiàng yǒu hěn duō xīn
己 ,聪 明 、安 静 ,好 像 有 很 多 心
shì yì shuāng míng liàng de dà yǎn jing zhù yì zhe
事 ,一 双 明 亮 的 大 眼 睛 注 意 着
zhōu wéi
周 围 。

tā men zhōng yú děng dào le liǎng liàng chū zū
他 们 终 于 等 到 了 两 辆 出 租
chē tā men yì qǐ zuò chē qù zé yuán de dān wèi
车 ,他 们 一 起 坐 车 去 泽 原 的 单 位 。

zé yuán de bàn gōng shì zài shì zhōng xīn   bàn gōng
泽 原 的 办 公 室 在 市 中 心 。办 公
dà lóu hěn ān jìng   yīn wèi shì xīng qī liù   bú huì
大 楼 很 安 静 。因 为 是 星 期 六 ,不 会
yǒu tóng shì men kàn jiàn tā lǐng zhe yì qún dōng běi
有 同 事 们 看 见 他 领 着 一 群 东 北
nóng cūn de qīn qi   tā bú huì gǎn dào diū miàn zi
农 村 的 亲 戚 ,他 不 会 感 到 丢 面 子 。
bàn gōng lóu mén kǒu de shì bīng   duì zhè yì qún rén
办 公 楼 门 口 的 士 兵 ¹ 对 这 一 群 人
gǎn dào huái yí   zé yuán shì chù zhǎng   zǒu guò
感 到 怀 疑 ²。泽 原 是 处 长 , 走 过
qù gēn tā men shuō le jǐ jù   tā men cái kè qi de
去 跟 他 们 说 了 几 句 ,他 们 才 客 气 地
fàng tā men jìn qù   qīn qi men kàn dào bàn gōng dà
放 他 们 进 去 。亲 戚 们 看 到 办 公 大
lóu zhuàng guān wēi yán   tā men kāi shǐ duì běi
楼 壮 观 威 严 ³,他 们 开 始 对 北
jīng   guó jiā jī guān yǒu le chóng bài gǎn   sān
京 、国 家 机 关 有 了 崇 拜 感 ⁴。三
sǎo yě bù duō shuō huà le   qīng qīng de   xiǎo xīn
嫂 也 不 多 说 话 了 ,轻 轻 地 、小 心
de gēn zhe wǎng lǐ zǒu
地 跟 着 往 里 走 。

    zé yuán lǐng tā men dào le tā de bàn gōng shì
    泽 原 领 他 们 到 了 他 的 办 公 室 。
tā kāi le mén   ràng tā men zuò xià   hē shuǐ   bàn
他 开 了 门 , 让 他 们 坐 下 ,喝 水 。办
gōng shì bú dà   jìn lái liù qī ge rén   yí xià zi jiù
公 室 不 大 ,进 来 六 七 个 人 ,一 下 子 就

---

1 士兵: soldier

2 怀疑: doubt
E.g. 我对他的话很
怀疑。
E.g. 他怀疑是他的
同学把他的自行车骑
走了。

3 壮观威严: grand and
majestic
E.g. 北京的人民大
会堂壮观威严。

4 崇拜感: adoration
E.g. 人们看到天安
门的时候,都有一种
崇拜感。

xiǎn de hěn yōng jǐ　zé yuán ná chū zì jǐ de diàn
显 得 很 拥 挤。泽 原 拿 出 自 己 的 电

huà běn　zhǎo lǚ guǎn de diàn huà　tā rèn shi jǐ ge
话 本，找 旅 馆 的 电 话。他 认 识 几 个

jiǔ diàn de lǎo bǎn　kě shì duì tā de qīn qi lái shuō
酒 店 的 老 板，可 是 对 他 的 亲 戚 来 说，

nà xiē jiǔ diàn tài guì le　zé yuán yòu zhǎo chū běi
那 些 酒 店 太 贵 了。泽 原 又 找 出 北

jīng de huáng yè　gěi lǚ guǎn dǎ diàn huà
京 的 黄 页，给 旅 馆 打 电 话。

pián yi de lǚ guǎn dōu mǎn le　xiàn zài yào jiē
便 宜 的 旅 馆 都 满 了。现 在 要 接

dài zhè me duō rén　tā zhēn shì gǎn dào yǒu diǎn
待 这 么 多 人，他 真 是 感 到 有 点

nán　qī yuè shì běi jīng zuì rè de shí hou　xué sheng
难。七 月 是 北 京 最 热 的 时 候，学 生

fàng shǔ jià　jiā zhǎng men dōu dài zhe hái zi men
放 暑 假。家 长 们 都 带 着 孩 子 们

lái běi jīng lǚ yóu　xià tiān jiù chéng le lǚ yóu wàng
来 北 京 旅 游，夏 天 就 成 了 旅 游 旺

jì　xiàng èr jiù jiā gāng gāng yǒu le diǎn qián　yě
季[1]。像 二 舅 家 刚 刚 有 了 点 钱，也

xiǎng chū mén lǚ yóu le　kàn lái zhōng guó rén de
想 出 门 旅 游 了，看 来 中 国 人 的

shēng huó zhēn shì bǐ yǐ qián hǎo le
生 活 真 是 比 以 前 好 了。

zé yuán dǎ le bàn ge xiǎo shí de diàn huà　yě
泽 原 打 了 半 个 小 时 的 电 话，也

méi zhǎo dào hé shì de lǚ guǎn　tā xiǎng le xiǎng
没 找 到 合 适 的 旅 馆。他 想 了 想，

1 旺季: midseason
E.g. 暑假是旅游旺季，学生们都喜欢在暑假旅游。

jiù dǎ diàn huà wèn xīng jí jiǔ diàn   hái hǎo   xīng
就 打 电 话 问 星 级 酒 店 ¹。还 好 ，星

jí jiǔ diàn suī rán guì   dàn shì dōu yǒu kōng fáng
级 酒 店 虽 然 贵 ，但 是 都 有 空 房

jiān   tā zhǎo dào yì jiā lí shì zhōng xīn jìn de jiǔ
间 。他 找 到 一 家 离 市 中 心 近 的 酒

diàn   wèn le jià gé   yì jiān fáng bú dào sān bǎi kuài
店 ，问 了 价 格 ，一 间 房 不 到 3 0 0 块

qián   zé yuán suàn le yí xià   rú guǒ qīn qi men
钱 。泽 原 算 了 一 下 ，如 果 亲 戚 们

zhù sì ge wǎn shang   sān ge fáng jiān   tā jué de
住 四 个 晚 上 ，三 个 房 间 ，他 觉 得

hái kě yǐ jiē shòu   jiē dài zhè me duō de qīn qi   tā
还 可 以 接 受 ²。接 待 这 么 多 的 亲 戚 ，他

yě yīng gāi huā jǐ qiān kuài qián   jiù suàn shì wèi le
也 应 该 花 几 千 块 钱 ，就 算 是 为 了

mǔ qīn ba
母 亲 吧 ！

zé yuán dìng   hǎo le fáng jiān   dài lǐng zhe qīn
泽 原 订 ³ 好 了 房 间 ，带 领 着 亲

qi zǒu chū bàn gōng dà lóu   jiào le liǎng liàng chū
戚 走 出 办 公 大 楼 ，叫 了 两 辆 出

zū chē   lái dào le jiǔ diàn   chū zū chē tíng zài le jiǔ
租 车 ，来 到 了 酒 店 。出 租 车 停 在 了 酒

diàn mén kǒu   fú wù yuán   zǒu guò lái dǎ kāi chē
店 门 口 ，服 务 员 ⁴ 走 过 来 打 开 车

mén   tā men jìn le jiǔ diàn   gǎn dào le zhèn zhèn
门 。他 们 进 了 酒 店 ，感 到 了 阵 阵

lěng qì   wén dào le huā xiāng   zhè li gēn wài
冷 气 ，闻 到 了 花 香 。这 里 跟 外

1 星级酒店: star hotel
E.g. 这个城市的星
级酒店很多，价格也
不贵。

2 接受: accept
E.g. 这个工作很难
做，但是他还是接受
了。

3 订: book, order
E.g. 我订好了去北
京的飞机票，也订了
旅馆的房间。

4 服 务 员：attendant
who serves customers
in a hotel; waiter in
restaurants and other
service trades

miàn de rè tiān qì zhēn shì liǎng ge bù tóng de shì
面 的 热 天 气 真 是 两 个 不 同 的 世

jiè　zé yuán ràng qīn qi men zuò zài shā fā shang
界。泽 原 让 亲 戚 们 坐 在 沙 发 上

děng zhe　zì jǐ qù bàn shǒu xù　kě shì qīn qi men
等 着 ，自 己 去 办 手 续[1]。可 是 亲 戚 们

zhàn zhe bú dòng　bù zhī dào zuò shén me　èr jiù duì
站 着 不 动 ，不 知 道 做 什 么。二 舅 对

zé yuán shuō　zé yuán　nà shá　ǎn men bú zhù zhè
泽 原 说 ："泽 原 ，那 啥 ，俺 们 不 住 这

me hǎo de dì fang　zé yuán shuō　zhè shì yì bān
么 好 的 地 方。"泽 原 说 ："这 是 一 般

de jiǔ diàn　nǐ men dì yī cì lái běi jīng　wǒ lái fù
的 酒 店。你 们 第 一 次 来 北 京 ，我 来 付

qián　bú yòng nǐ men huā qián　zhè shì wǒ yīng gāi
钱 ，不 用 你 们 花 钱。这 是 我 应 该

zuò de　nín jiù zhù zài zhèr　ba　tā bú ràng tā men
做 的。您 就 住 在 这 儿 吧。"他 不 让 他 们

dān xīn qián de wèn tí
担 心 钱 的 问 题。

zé yuán bàn hǎo le shǒu xù　ná le yào shi　tā
泽 原 办 好 了 手 续 ，拿 了 钥 匙。他

men yì qǐ jìn le diàn tī　dào le shíwǔ céng　zhǎo
们 一 起 进 了 电 梯 ，到 了 15 层 ，找

dào le fáng jiān　zé yuán jiāo tā men zěn yàng yòng
到 了 房 间。泽 原 教 他 们 怎 样 用

kǎ kāi mén　yòng kǎ qǔ diàn　děng děng　ràng tā
卡 开 门 、用 卡 取 电[2] 等 等 ，让 他

men dào gè zì de fáng jiān xiū xi yí huìr　rán
们 到 各 自 的 房 间 休 息 一 会 儿 ，然

---

1 办手续: go through procedures

E.g. 他想到中国留学，可是还没开始办手续呢。

2 用卡开门、用卡取电: In some hotels, a card is used as a secure key to open the door and to get illuminated.

hòu dào lóu xià qù chī zǎo cān   èr jiù shuō   bú
后 到 楼 下 去 吃 早 餐 。二 舅 说 ：“ 不

yòng xiū xi   fàn yě bù chī le   ǎn men zài huǒ chē
用 休 息 ，饭 也 不 吃 了 ，俺 们 在 火 车

shang chī le yì diǎn   zé yuán shuō   zǎo cān shì
上 吃 了 一 点 。”泽 原 说 ：“早 餐 是

miǎn fèi de   hái shì chī yì diǎn ba   zài wánr   de
免 费¹的 ，还 是 吃 一 点 吧 。在 玩 儿 的

shí hou nǐ men huì è de   qīn qi men tīng shuō bú
时 候 你 们 会 饿 的 。”亲 戚 们 听 说 不

yòng huā qián   jiù bù shuō shén me le
用 花 钱 ，就 不 说 什 么 了 。

　　zé yuán zài èr jiù hé lín yào zōng de fáng jiān li
　　泽 原 在 二 舅 和 林 耀 宗 的 房 间 里

zuò xià   hē zhe chá   èr jiù hé lín yào zōng zhuàn lái
坐 下 ，喝 着 茶 。二 舅 和 林 耀 宗 转 来

zhuàn qù   lìng wài liǎng ge fáng jiān de sì ge nǚ qīn
转 去 ，另 外 两 个 房 间 的 四 个 女 亲

qi yě shì zǒu lái zǒu qù   kàn kan zhèr   kàn kan
戚 也 是 走 来 走 去 ，看 看 这 儿 ，看 看

nàr   yòu cóng chuāng hu wǎng wài miàn kàn
那 儿 ，又 从 窗 户 往 外 面 看

kan   tā men cóng lái méi zhù guò zhè me guì de jiǔ
看 。她 们 从 来 没 住 过 这 么 贵 的 酒

diàn   duì zhè li de yí qiē dōu gǎn dào xīn qí
店 ，对 这 里 的 一 切 都 感 到 新 奇²。

　　zé yuán gěi qī zǐ méi mei dǎ diàn huà   gào su
　　泽 原 给 妻 子 梅 梅 打 电 话 ，告 诉

tā bú yòng zhǔn bèi le   qīn qi men zhù jiǔ diàn le
她 不 用 准 备 了 ，亲 戚 们 住 酒 店 了 。

1 免费: free of charge
E.g. 这家旅馆的早
餐是免费的。
E.g. 老年人逛公园
免费。

2 新奇: new
E.g. 世界各国的游
人来到中国处处觉得
新奇。

jīn tiān tā lǐng zhe tā men zài běi jīng shì li wánr
今天他领着他们在北京市里玩儿。

méi mei zài jiā yǐ jīng bǎ fáng jiān shōu shi hǎo le
梅梅在家已经把房间收拾好了，

zhǔn bèi jiē dài èr jiù yì jiā　tīng shuō qīn qi men bù
准备接待二舅一家。听说亲戚们不

lái jiā li zhù le　méi mei gāo xìng de zài diàn huà li
来家里住了，梅梅高兴地在电话里

jiào le yì shēng
叫了一声。

　　zé yuán gāng gěi méi mei dǎ wán diàn huà　mǔ
　　泽原刚给梅梅打完电话，母

qin jiù lái diàn huà le　wèn èr jiù tā men dào le méi
亲就来电话了，问二舅他们到了没

yǒu　zé yuán shuō　dào le　yǐ jīng zhù jìn jiǔ diàn
有。泽原说，到了，已经住进酒店

le　dàn shì lái de bú shì sān ge rén　ér shì liù ge
了，但是来的不是三个人，而是六个

rén　mǔ qin yì tīng　chī jīng de　ā　le yì
人。母亲一听，吃惊[1]地"啊"了一

shēng　mǔ qin méi xiǎng dào gěi ér zi dài lái zhè me
声。母亲没想到给儿子带来这么

duō má fan　xīn li gǎn dào yǒu xiē hòu huǐ
多麻烦，心里感到有些后悔[2]。

　　zé yuán shuō　mā　nín jiù bié dān xīn le　jì
　　泽原说："妈，您就别担心了，既

rán lái le　wǒ jiù jiē dài tā men
然来了，我就接待他们。"

mǔ qin dān xīn de shuō　nǐ néng xíng ma
母亲担心地说："你能行吗？

1 吃惊: be surprised
E.g. 听说他的朋友离婚了，他感到很吃惊。

2 后悔: regret
E.g. 没有接受这个工作，他感到很后悔。

méi mei néng gāo xìng ma
梅 梅 能 高 兴 吗 ？"

　　zé yuán shuō　　méi shì　mā　nín jiù bié dān
　　泽 原 说 ：" 没 事 ， 妈 ， 您 就 别 担
xīn le
心 了 。"

　　mǔ qin duì zé yuán lí hūn de shì hěn bù mǎn
　　母 亲 对 泽 原 离 婚 的 事 很 不 满
yì　mǔ qin bù xǐ huan méi mei　zé yuán hé qián
意 。 母 亲 不 喜 欢 梅 梅 。 泽 原 和 前
qī yǒu yí ge ér zi　xiàn zài tā de ér zi gēn qián
妻 ¹ 有 一 个 儿 子 ， 现 在 他 的 儿 子 跟 前
qī yì qǐ shēng huó　zé yuán de mǔ qin fēi cháng
妻 一 起 生 活 。 泽 原 的 母 亲 非 常
xǐ huan zhè ge sūn zi　hěn xiǎng sūn zi　tā rèn
喜 欢 这 个 孙 子 ， 很 想 孙 子 。 她 认
wéi shì méi mei chāi sàn　le zé yuán de jiā　méi
为 是 梅 梅 拆 散 ² 了 泽 原 的 家 。 梅
mei yě bù tǎo hǎo　zé yuán de mǔ qin　xiàn zài zé
梅 也 不 讨 好 ³ 泽 原 的 母 亲 。 现 在 泽
yuán gēn fù mǔ guān xi bú tài hǎo　tā yě xiǎng
原 跟 父 母 关 系 不 太 好 ， 他 也 想
gǎi biàn yí xià tā hé fù mǔ de guān xi
改 变 一 下 他 和 父 母 的 关 系 。

　　zé yuán xiàn zài sì shí duō suì le　tā xiǎng de
　　泽 原 现 在 四 十 多 岁 了 ， 他 想 的
dōu shì hěn xiàn shí de shì qing　bǐ rú　zěn yàng bǎ
都 是 很 现 实 的 事 情 ， 比 如 ， 怎 样 把
lǎo rén ān pái hǎo　bǎ ér zi yǎng dà　zěn yàng
老 人 安 排 好 ， 把 儿 子 养 大 ， 怎 样

1 前妻: former wife

2 拆散: break up
E.g. 丈夫有了情人，
经常和妻子吵架。这
个家庭被拆散了。

3 讨好 : blandish;
please
E.g. 他为了提升，经
常讨好公司老板。

zhǔn bèi ér zi chū guó liú xué de qián　tā hé méi
准 备 儿子 出 国 留 学 的 钱 ，他 和 梅

mei yào bu yào zài shēng yí ge hái zi děng děng　tā
梅 要 不 要 再 生 一 个 孩 子 等 等 。他

xiǎng píng píng ān ān de shēng huó　zài gōng zuò
想 平 平 安 安 [1] 地 生 活 ，再 工 作

shí jǐ nián jiù tuì xiū le　suī rán tā yǐ jīng guò shàng
十 几 年 就 退 休 了 。虽 然 他 已 经 过 上

le bái lǐng shēng huó　yǒu le fáng zi　yǒu le qì
了 白 领 生 活 ，有 了 房 子 ，有 了 汽

chē　dàn shì　tā què méi yǒu le shēng huó de jī
车 ，但 是 ，他 却 没 有 了 生 活 的 激

qíng　èr shí nián yǐ qián tā kǎo shàng le běi jīng dà
情 。二 十 年 以 前 他 考 上 了 北 京 大

xué　nà shí tā yǒu hěn duō lǐ xiǎng　tā hěn jiāo
学 ，那 时 他 有 很 多 理 想 [2]，他 很 骄

ào　xiàn zài tā chéng le yí ge méi yǒu lǐ xiǎng de
傲 [3]。现 在 他 成 了 一 个 没 有 理 想 的

zhōng nián rén le
中 年 人 了 。

　　zé yuán xiǎng dào zhè li　kàn jiàn èr jiù hé lín
　　泽 原 想 到 这 里 ，看 见 二 舅 和 林

yào zōng hái zài fáng jiān li zǒu lái zǒu qù　yī fu
耀 宗 还 在 房 间 里 走 来 走 去 ，衣 服

méi huàn　liǎn yě méi xǐ　èr jiù hái shi chuān zhe
没 换 ，脸 也 没 洗 。二 舅 还 是 穿 着

zāng　bèi xīn　lín yào zōng de tóu fa hái shi luàn
脏 [4] 背 心 ，林 耀 宗 的 头 发 还 是 乱

de　tā men bù zhī dào yīng gāi zuò shén me　zé
的 。他 们 不 知 道 应 该 做 什 么 。泽

---

1 平平安安: safely;
safe and sound
E.g. 人们都喜欢生
活得平平安安的。

2 理想: ideal
E.g. 他的理想是当
一名工程师。
E.g. 他是一个很有
理想的年轻人。

3 骄傲: proud
E.g. 他的学习成
绩很好，但是他一点也
不骄傲。

4 脏: dirty
E.g. 这件衣服太脏
了，拿到洗衣店洗一
洗。

yuán yǒu xiē bù gāo xìng   děng èr jiù chū qù de shí
原 有 些 不 高 兴 。 等 二 舅 出 去 的 时

hou   zé yuán duì lín yào zōng shuō   nǐ qù wèn
候 ，泽 原 对 林 耀 宗 说 ："你 去 问

yé ye dài méi dài chèn shān   chū mén chuān bèi xīn
爷 爷 带 没 带 衬 衫 ，出 门 穿 背 心

bù hǎo kàn   zé yuán yòu shuō   xiǎo huǒ zi
不 好 看 。"泽 原 又 说 ："小 伙 子，

nǐ shēn shang zhè jiàn   xù shān bú cuò   hái shi yì
你 身 上 这 件 T恤 衫 不 错 ，还 是 意

dà lì míng pái ne   zài bǎ tóu fa shū shu   jiù gēn
大 利 名 牌 呢！再 把 头 发 梳 梳 ¹，就 跟

zhè jiàn yī fu gèng pèi le
这 件 衣 服 更 配 ²了。"

lín yào zōng liǎn hóng le   zǒu jìn le wèi shēng
林 耀 宗 脸 红 了 ，走 进 了 卫 生

jiān   tā chū lái shí   tóu fa yǐ jīng shū de hěn zhěng
间 。他 出 来 时 ，头 发 已 经 梳 得 很 整

qí   yé ye jìn lái le   tā ràng yé ye huàn yī fu
齐 。爷 爷 进 来 了 ，他 让 爷 爷 换 衣 服，

yé ye shuō tā bú huàn   lín yào zōng duì yé ye
爷 爷 说 他 不 换 。林 耀 宗 对 爷 爷

shuō   zài bīn guǎn li   chuān bèi xīn zǒu jìn zǒu
说 ："在 宾 馆 里 ，穿 背 心 走 进 走

chū bù wén míng   yé ye bù gāo xìng de shuō
出 不 文 明 ³。"爷 爷 不 高 兴 地 说 ：

bù wén míng shá   nǐ hái méi shang běi jīng dà xué
"不 文 明 啥 ，你 还 没 上 北 京 大 学

ne   jiù shuō wǒ bù wén míng   èr jiù yì biān
呢 ，就 说 我 不 文 明 。"二 舅 一 边

---

1 梳(头): comb one's hair

E.g. 今天早上他起晚了，没吃饭、没洗脸、没梳头就去上课了。

2 配: match

E.g. 这条裙子的颜色很鲜艳，不好配上衣。

E.g. 你的衣服和这双鞋很相配。

3 文明: civilized

E.g. 这个人经常说脏话，很不文明。大家都不喜欢他。

shuō zhe yì biān huàn yī fu
说 着 一 边 换 衣服。

　　tā men yì qǐ dào èr lóu chī zǎo cān　　nǚ rén
　　他 们 一 起 到 二 楼 吃 早 餐。女 人

men yě méi huàn yī fu　　sān sǎo hé tā nǚ ér de liǎn
们 也 没 换 衣服，三 嫂 和 她 女 儿 的 脸

shang yòu huà le yì céng zhuāng　　liǎn shang bái bái
上 又 化 了 一 层 妆 ，脸 上 白 白

de　　sān sǎo dà shēng shuō zhe huà　　ná le hěn duō
的 。三 嫂 大 声 说 着 话，拿 了 很 多

chī de dōng xi　bǎ tā de pán zi zhuāng de mǎn mǎn
吃 的 东 西，把 她 的 盘 子 装 得 满 满

de　　zé yuán yòu bǎ lín yào zōng jiào guò lái　　qiāo
的 。泽 原 又 把 林 耀 宗 叫 过 来，悄

qiāo　de ràng tā gào su dà jiā　　chī duō shao ná duō
悄 [1]地 让 他 告 诉 大 家，吃 多 少 拿 多

shao　　yí cì bú yào ná tài duō
少 ，一 次 不 要 拿 太 多 。

　　zài fàn zhuō shang　　zé yuán wèn dà jiā xiǎng qù
　　在 饭 桌 上 ，泽 原 问 大 家 想 去

nǎr　　xiǎng zài běi jīng zěn me wánr　　èr jiù
哪 儿，想 在 北 京 怎 么 玩 儿。二 舅

shuō xiǎng kàn kan běi jīng dà xué　　sān sǎo shuō
说 想 看 看 北 京 大 学。三 嫂 说 ，

xiǎng kàn tiān ān mén　　qù cháng chéng　　chī běi jīng
想 看 天 安 门 、去 长 城 、吃 北 京

kǎo yā　　zé yuán xiào xiao　　méi shuō huà　　zé yuán
烤 鸭 。泽 原 笑 笑 ，没 说 话。泽 原

yòu wèn tā men zhǔn bèi zài běi jīng wán jǐ tiān　　tā
又 问 他 们 准 备 在 北 京 玩 几 天 ，他

1 悄悄: quietly
E.g. 大家在开会,他
悄悄地走出去，打了
一个电话。

hǎo qù dìng huǒ chē piào　　èr jiù yǒu diǎn bù gāo
好 去 订 火 车 票 。二 舅 有 点 不 高

xìng de shuō　　ǎn men dāi liǎng tiān　bǎ běi jīng
兴 地 说；"俺 们 待 两 天 ，把 北 京

kàn kan jiù zǒu　bú huì tài má fan nǐ de　　zé
看 看 就 走 ，不 会 太 麻 烦 你 的 。"泽

yuán zhī dào èr jiù wù huì　le　gǎn máng jiě shì
原 知 道 二 舅 误 会 ¹ 了 ，赶 忙 解 释

shuō　xiàn zài shì lǚ yóu wàng jì　yóu kè tè bié
说 ："现 在 是 旅 游 旺 季 ，游 客 特 别

duō　yào tí qián dìng piào　èr jiù shuō　　nà
多 ，要 提 前 ² 订 票 。"二 舅 说 ："那

jiù nǐ jué dìng ba
就 你 决 定 吧 。"

　　zé yuán děng dà jiā chī wán zǎo fàn　xiǎng le
　　泽 原 等 大 家 吃 完 早 饭 ，想 了

xiǎng　xiān lǐng tā men qù gù gōng　běi hǎi gōng
想 ，先 领 他 们 去 故 宫 ³、北 海 公

yuán　zhè shì wài de rén lái běi jīng yào kàn de dì yī
园 ，这 是 外 地 人 来 北 京 要 看 的 第 一

ge dì fang　yīn wèi chū zū qì chē zài běi jīng tiān ān
个 地 方 。因 为 出 租 汽 车 在 北 京 天 安

mén bù hǎo tíng chē　tā lǐng zhe dà jiā zuò dì tiě
门 不 好 停 车 ，他 领 着 大 家 坐 地 铁 。

dì tiě li hěn yōng jǐ　hěn rè　zé yuán yǒu diǎn
地 铁 里 很 拥 挤 ，很 热 ，泽 原 有 点

lèi　duì zhōu wéi de yí qiè dōu bù gǎn xìng qù
累 ，对 周 围 的 一 切 都 不 感 兴 趣 。

tā zài běi jīng shēng huó èr shí nián le　tā
他 在 北 京 生 活 二 十 年 了 。他

1 误会: misunderstand
E.g. 你误会了我的
意思。

2 提前: in advance
E.g. 春节的火车票
很难买，我们得提前
订票。

3 故宫: the Forbidden
City

1 颐和园: Summer Palace

2 圆明园: an imperial palace destroyed by British and French allied forces in the First Opium War

3 王府井大街和西单大街: Wangfujing street and Xidan street are two busy downtown streets in Beijing

4 百八十趟: a hundred times or so
Here the phrase is used to emphasize that Zeyuan has been to the places many times.

gāng lái běi jīng de shí hou tā de hěn duō qīn qi
刚来北京的时候，他的很多亲戚
péng you dōu lái běi jīng wán yǒu yí cì zài yí ge
朋友都来北京玩。有一次，在一个
yuè zhī nèi tā lǐng zhe qīn qi péng you qù le sì cì
月之内，他领着亲戚朋友去了四次
yí hé yuán yuán míng yuán wǔ cì gù gōng
颐和园 1、圆明园 2，五次故宫，
zǒu biàn le běi jīng de wáng fǔ jǐng dà jiē hé xī dān
走遍了北京的王府井大街和西单
dà jiē nà shì duō me dà de rè qíng èr shí nián
大街 3。那是多么大的热情！二十年
guò qù le zhè xiē dì fang tā qù guò bǎi bā shí tàng
过去了，这些地方他去过百八十趟 4
le zǎo jiù méi yǒu xìng qù le gù gōng li méi yǒu
了，早就没有兴趣了。故宫里没有
shù tè bié rè zé yuán zhēn bù xiǎng jìn qù kě shì
树，特别热。泽原真不想进去。可是
zhè xiē qīn qi shì dì yī cì lái běi jīng tā bì xū péi
这些亲戚是第一次来北京，他必须陪
tā men jìn qù
他们进去。

　　dāng kàn jiàn tiān ān mén de shí hou hái shi
　　当看见天安门的时候，还是
sān sǎo dì yī ge jiào qǐ lái āi ya mā ya zhè jiù
三嫂第一个叫起来："哎呀妈呀，这就
shì tiān ān mén na rán hòu jiù méi huà shuō le
是天安门哪！"然后就没话说了。
zé yuán bù zhī dào qīn qi men zài xiǎng shén me tā
泽原不知道亲戚们在想什么。他

duì tā men bú tài le jiě　dà rén men hěn jī dòng
对 他 们 不 太 了 解 。大 人 们 很 激 动 ，

běi jīng zài dà rén xīn zhōng shì yí ge shén shèng　de
北 京 在 大 人 心 中 是 一 个 神 圣 [1] 的

dì fang　zé yuán shàng xiǎo xué de shí hou　lǎo shī
地 方 。泽 原 上 小 学 的 时 候 ，老 师

gào su tā men　　wǒ ài běi jīng tiān ān mén　yīn
告 诉 他 们 ："我 爱 北 京 天 安 门 ，因

wèi tā shì máo zhǔ xí shēng qǐ dì yī miàn wǔ xīng
为 它 是 毛 主 席 升 起 第 一 面 五 星

hóng qí de dì fang　　　ér lín yào zōng hé xiǎo yàn
红 旗 的 地 方 。"而 林 耀 宗 和 小 燕

zhè liǎng ge hái zi shì yī jiǔ bā líng nián yǐ hòu chū
这 两 个 孩 子 是 1980 年 以 后 出

shēng de　tā men shàng xiǎo xué de shí hou　dì yī kè
生 的 ，他 们 上 小 学 的 时 候 ，第 一 课

de kè wén yǐ jīng bú shì　　wǒ ài běi jīng tiān ān mén
的 课 文 已 经 不 是 "我 爱 北 京 天 安 门 "

le　zé yuán bù zhī dào tā men zài xiǎng shén me
了 。泽 原 不 知 道 他 们 在 想 什 么 。

　　tā men zǒu jìn le gù gōng　tiān qì hěn rè
　　他 们 走 进 了 故 宫 。天 气 很 热 ，

ràng rén gǎn dào hěn mēn　　tā men hé zhòng duō
让 人 感 到 很 闷 [2]。他 们 和 众 多

de yóu kè zǒu jìn wǔ mén　cān guān kūn níng
的 游 客 走 进 午 门 ，参 观 坤 宁

gōng　qián qīng gōng　děng děng
宫 、乾 清 宫 [3] 等 等 。

　　zé yuán kàn zhe jǐ ge lǎo rén yì biān zǒu yì
　　泽 原 看 着 几 个 老 人 一 边 走 一

1 神圣: sacred; holy

2 闷: hot and stuffy
E.g. 这几天闷热，大家都觉得很难受。
E.g. 屋子里很闷，请把窗户打开。

3 坤宁宫、乾清宫: palaces in the Forbidden City

边 擦 汗 ， 好 像 也 没 有 什 么 感
受 。三 嫂 和 小 燕 穿 着 高 跟 鞋 费
力 地 走 着 ， 脸 上 的 妆 已 经 被 汗
水 洗 得 白 一 道 、 红 一 道 。她 们 说 故
宫 太 大 了 ， 半 天 还 没 走 完 。只 有
林 耀 宗 这 个 十 八 岁 的 青 年 ， 认 真
地 看 着 一 座 座 宫 殿 [1]， 好 像 在
想 着 什 么 。泽 原 开 始 喜 欢 林 耀
宗 了 。

　　故 宫 的 门 票 比 以 前 贵 ，太 阳
也 比 以 前 热 ，人 也 比 以 前 多 ，其 他 方
面 没 有 什 么 变 化 。他 领 着 他 们
往 前 走 。阳 光 下 ，他 一 边 走 一
边 回 想 着 以 前 的 事 情 。以 前 ，他
常 常 和 前 妻 来 故 宫 。他 的 前 妻

1 宫殿: palace

shì tā de dà xué tóng xué   tā men de liàn qíng liú
是 他 的 大 学 同 学 ，他 们 的 恋 情 ¹ 留
zài le běi jīng de měi yí ge dì fang   ràng tā hěn nán
在 了 北 京 的 每 一 个 地 方 ，让 他 很 难
wàng jì
忘 记 。

　　xiàn zài zé yuán hé qī zǐ méi mei dōu shì qù
　　现 在 泽 原 和 妻 子 梅 梅 都 是 去
jiāo qū wán   běi jīng shì li de lǎo jǐng diǎn dōu biàn
郊 区 玩 。北 京 市 里 的 老 景 点 都 变
chéng le lǚ yóu qū   ràng wài shěng rén qù kàn   yǐ
成 了 旅 游 区 ，让 外 省 人 去 看 。以
qián   zé yuán jiù shì yí ge wài shěng rén   duì zhè
前 ，泽 原 就 是 一 个 外 省 人 ，对 这
li de yí qiē dōu yǒu zhe rè qíng   tā zài zhè li
里 的 一 切 都 有 着 热 情 。他 在 这 里
shēng huó le èr shí nián   biàn chéng le yí ge běi
生 活 了 二 十 年 ，变 成 了 一 个 北
jīng rén   shuō zhe běi jīng huà   xiàn zài tā duì zhè
京 人 ，说 着 北 京 话 。现 在 他 对 这
xiē dì fang yì diǎnr   yě bù gǎn xìng qù le
些 地 方 一 点 儿 也 不 感 兴 趣 了 。

　　zhè shí   lín yào zōng wèn tā   shū   nǐ shuō
　　这 时 ，林 耀 宗 问 他 ："叔，你 说
gù gōng li wèi shén me méi yǒu shù   shì a
故 宫 里 为 什 么 没 有 树 ？" 是 啊 !
huáng gōng   li wèi shén me bú zhǒng shù ne   zé
皇 宫 ² 里 为 什 么 不 种 树 呢 ? 泽
yuán yuè lái yuè xǐ huan lín yào zōng le   tā jué de
原 越 来 越 喜 欢 林 耀 宗 了 ，他 觉 得

1 恋情: love
E.g. 他们虽然谈了两年的恋爱，却没什么恋情，最后他们就分手了。

2 皇宫: imperial palace

lín yào zōng hěn cōng míng
林 耀 宗 很 聪 明 。

cóng gù gōng de běi mén chū lái　zé yuán lǐng zhe
从 故 宫 的 北 门 出 来，泽 原 领 着

qīn qi men zài fàn guǎn li chī le fàn　jiē zhe zǒu jìn le
亲 戚 们 在 饭 馆 里 吃 了 饭，接 着 走 进 了

jǐng shān gōng yuán　xià wǔ gèng rè le　kě shì zhè li
景 山 公 园 。下 午 更 热 了，可 是 这 里

réng rán yǒu hěn duō yóu kè　zé yuán lǐng tā men kàn
仍 然 有 很 多 游 客。泽 原 领 他 们 看

le míng cháo de zuì hòu yí ge huáng dì chóng zhēn
了 明 朝 的 最 后 一 个 皇 帝 崇 祯

shàng diào de shù　tā men yòu pá shàng shān dǐng
上 吊 的 树 。¹他 们 又 爬 上 山 顶

kàn běi jīng zhōng zhóu xiàn　rán hòu　zé yuán lǐng
看 北 京 中 轴 线 ²。然 后，泽 原 领

tā men yóu lǎn le běi hǎi gōng yuán　yí kàn dào hú
他 们 游 览 了 北 海 公 园 。一 看 到 湖

li yǒu chuán　xiǎo yàn jiù xīng fèn qǐ lái　yào huá
里 有 船 ，小 燕 就 兴 奋 起 来，要 划

chuán　sān sǎo hé lín yào zōng péi xiǎo yàn yì qǐ huá
船 ³。三 嫂 和 林 耀 宗 陪 小 燕 一 起 划

chuán　zé yuán péi lìng wài sān ge rén děng zhe tā
船 ，泽 原 陪 另 外 三 个 人 等 着 他

men　xià wǔ wǔ diǎn duō　zé yuán lǐng zhe qīn qi zǒu
们 。下 午 五 点 多，泽 原 领 着 亲 戚 走

chū běi hǎi gōng yuán　dào fàn guǎn li chī le wǎn
出 北 海 公 园 ，到 饭 馆 里 吃 了 晚

fàn　yòu bǎ tā men sòng huí jiǔ diàn　rán hòu tā huí
饭 ，又 把 他 们 送 回 酒 店 。然 后 他 回

1 In Jingshan Park, there is a tree on which the last Emperor Chongzhen of Ming Dynasty was hanged in 1644.

2 北京中轴线: the south-north axis from Qianmen, Tian'anmen, Wumen , etc. to the back of the Forbidden City

3 划船: boating
E.g. 很多公园都有湖，都可以划船。

dào huǒ chē zhàn qǔ le chē　kāi chē huí jiā
到 火 车 站 取 了 车，开 车 回 家。

　　zhè yì tiān xià lái　tā lèi huài le　qī zǐ méi
　　这 一 天 下 来，他 累 坏 了。妻子 梅

méi què shuō　shì tā zì jǐ yuàn yì de　tā shuō
梅 却 说，是 他 自己 愿 意 的。她 说，

ràng qīn qi men cān jiā lǚ yóu tuán　jiù bú zhè me
让 亲 戚 们 参 加 旅 游 团，就 不 这 么

lèi le　zé yuán tài lèi　bù xiǎng gēn tā shuō huà
累 了。泽 原 太 累，不 想 跟 她 说 话。

tā gāng tǎng le yí huìr　mǔ qin jiù lái diàn huà
他 刚 躺 了 一 会 儿，母 亲 就 来 电 话

le　wèn èr jiù yì jiā wánr　de zěn me yàng　zé
了，问 二 舅 一 家 玩 儿 得 怎 么 样。泽

yuán shuō hái hǎo　qù le gù gōng hé běi hǎi　zé
原 说 还 好，去 了 故 宫 和 北 海。泽

yuán wèn sān sǎo shì gàn shén me de　mǔ qin shuō
原 问 三 嫂 是 干 什 么 的。母 亲 说：

tā bù gōng zuò　xiǎo yàn gāo zhōng méi kǎo
"她 不 工 作。小 燕 高 中 没 考

shàng　xiàn zài méi yǒu gōng zuò
上 ，现 在 没 有 工 作。"

　　zé yuán gēn mǔ qin zài diàn huà li liáo le yí
　　泽 原 跟 母 亲 在 电 话 里 聊 了 一

huìr　zé yuán duì méi mei shuō　míng tiān nǐ
会 儿。泽 原 对 梅 梅 说："明 天 你

yě péi pei qīn qi ba　qīn qi lái le　bù gēn tā men
也 陪 陪 亲 戚 吧。亲 戚 来 了，不 跟 他 们

jiàn miàn bù hǎo　méi mei shuō　wǒ bú qù　wǒ
见 面 不 好。"梅 梅 说："我 不 去。我

明天有事儿，我跟人约好了。你
自己的事情，你自己陪。"梅梅这
样的人很少关心别人，也不愿
意关心别人。泽原很了解现在的
年轻人。

　　第二天是星期天，他决定领着
二舅一家去北京大学。早上，他往
酒店打电话，二舅的房间没人接
电话，其他两个房间也没人。泽
原有点着急了，赶忙打三嫂的
手机。三嫂接了电话，告诉他，他们
昨晚没住酒店。他们住在酒店附
近的一家小旅馆，那里很便宜。

　　泽原听完，赶忙说："你们
在那儿等我，我马上开车过去

zhǎo nǐ men   shuō wán tā jiù kāi chē chū fā le
找 你 们 。" 说 完 他 就 开 车 出 发 了 。

yóu yú shì xīng qī tiān   lù shang chē shǎo   yí ge
由 于 是 星 期 天 ，路 上 车 少 ，一 个

xiǎo shí yǐ hòu   tā jiù dào le   rán hòu tā gěi sān
小 时 以 后 ，他 就 到 了 。然 后 他 给 三

sǎo dǎ diàn huà   sān sǎo shuō bù qīng chu tā men
嫂 打 电 话 ，三 嫂 说 不 清 楚 他 们

zhù de dì fang   zé yuán zhǐ hǎo ràng tā zài yì jiā dà
住 的 地 方 。泽 原 只 好 让 她 在 一 家 大

fàn diàn mén kǒu děng tā   zé yuán tíng hǎo chē
饭 店 门 口 等 他 。泽 原 停 好 车 ，

kàn jiàn le sān sǎo   jiù gēn zhe tā wǎng hú tòng   li
看 见 了 三 嫂 ，就 跟 着 她 往 胡 同 1 里

zǒu   tā zhǎo dào le èr jiù tā men zhù de lǚ diàn
走 。他 找 到 了 二 舅 他 们 住 的 旅 店 ，

lǚ diàn yòu hēi yòu àn   qì wèi nán wén
旅 店 又 黑 又 暗 ，气 味 难 闻 。

wū zi li hěn hēi   bái tiān dōu yào kāi zhe
屋 子 里 很 黑 ，白 天 都 要 开 着

dēng   zé yuán kàn le yí xià fáng jiān   fáng jiān li
灯 。泽 原 看 了 一 下 房 间 ，房 间 里

yǒu sì zhāng shuāng céng chuáng   zhù bā ge rén
有 四 张 双 层 床 ，住 八 个 人 。

zhè li què shí hěn pián yi   yì zhāng chuáng wèi měi
这 里 确 实 很 便 宜 ，一 张 床 位 每

tiān zhǐ yào èr shí yuán   yǒu hěn duō rén lái zhè li
天 只 要 二 十 元 ，有 很 多 人 来 这 里

zhù   zé yuán kàn dào zhè li tiáo jiàn tài chà   duì
住 。泽 原 看 到 这 里 条 件 太 差 ，对

1 胡同: lane, alley
E.g. 北京的胡同很
古老，游客们都喜欢
参观北京的胡同。

二舅说："您还是跟我回酒店去吧。"二舅还是穿着那件背心，笑着对泽原说："这儿挺好的，就是晚上睡睡觉。来北京，俺们就是想到处看看，在哪儿睡觉都一样。"

泽原觉得二舅说得也对。他突然想起他刚来北京的时候，他的家很小，只有一间十五平方米的房子。当他的亲戚朋友来北京的时候，他也没有钱让亲戚住酒店、宾馆。大家都在家里挤着住，在沙发上、地上睡觉。就是这样的条件，大家还是很愉快。

泽原领着亲戚们，叫了一辆

chū zū chē　gào su sī jī gēn zhe tā de chē zǒu　běi
出 租 车 , 告 诉 司 机 跟 着 他 的 车 走 。北

jīng dà xué zài běi jīng de xī bian　zhōu mò hěn duō
京 大 学 在 北 京 的 西 边 。周 末 很 多

rén dōu xǐ huan dào běi jīng xī bian qù wánr
人 都 喜 欢 到 北 京 西 边 去 玩 儿 ,

chē duō　qì chē zǒu de hěn màn　yí ge duō xiǎo shí
车 多 , 汽 车 走 得 很 慢 。一 个 多 小 时

yǐ hòu　tā men cái dào běi jīng dà xué　zé yuán bǎ
以 后 , 他 们 才 到 北 京 大 学 。泽 原 把

chē tíng hǎo　rán hòu lǐng zhe tā men zǒu xiàng běi
车 停 好 , 然 后 领 着 他 们 走 向 北

jīng dà xué xī mén　dào le dà mén kǒu　bǎo ān ¹
京 大 学 西 门 。到 了 大 门 口 , 保 安 ¹

kàn zhe qīn qi men　wèn zhè wèn nà　bú ràng tā
看 着 亲 戚 们 , 问 这 问 那 , 不 让 他

men jìn qù　zé yuán shuō tā lái kàn yí ge běi dà jiào
们 进 去 。泽 原 说 他 来 看 一 个 北 大 教

shòu　bǎo ān wèn tā　nà xiē rén ne　zé yuán
授 。保 安 问 他 : "那 些 人 呢 ?"泽 原

suí biàn shuō le yí jù　tā men shì gěi jiào shòu jiā
随 便 说 了 一 句 : "她 们 是 给 教 授 家

zhǎo de bǎo mǔ ²　bǎo ān kàn dào hòu miàn yòu
找 的 保 姆 ²。"保 安 看 到 后 面 又

yǒu xiē rén zǒu guò lái　jiù ràng tā men jìn qù le
有 些 人 走 过 来 , 就 让 他 们 进 去 了 。

zé yuán huí tóu yí kàn　sān sǎo hé xiǎo yàn yǒu xiē
泽 原 回 头 一 看 , 三 嫂 和 小 燕 有 些

shēng qì　tā men bù mǎn yì zé yuán shuō tā men
生 气 , 她 们 不 满 意 泽 原 说 她 们

1 保安 : entrance guard

E.g. 现在的住宅小区都有保安,很安全。

2 保姆: housemaid

E.g. 她的工作很忙,没时间干家务活,只好请保姆。

shì   bǎo mǔ   zé yuán jiě shì shuō   wǒ bú nà
是 "保 姆"。泽 原 解 释 说 :"我 不 那

me shuō   tā jiù huì wèn hěn cháng shí jiān   bú ràng
么 说 ,他 就 会 问 很 长 时 间 ,不 让

jìn qù
进 去 。"

　　tā men zǒu jìn běi dà xiào yuán   kàn dào hú
　　他 们 走 进 北 大 校 园 。看 到 湖

zhōng de lián huā   tīng dào chán míng   dà jiā
中 的 莲 花 ¹,听 到 蝉 鸣 ²,大 家

zhè cái wàng le gāng cái de bù yú kuài   xiào yuán
这 才 忘 了 刚 才 的 不 愉 快 。校 园

li hěn ān jìng   sān sǎo xīng fèn de shuō   zhè gā
里 很 安 静 ,三 嫂 兴 奋 地 说 :"这 旮 ³

nǎ xiàng ge xué xiào   zhè jiǎn zhí shì ge huā yuán
哪 像 个 学 校 ,这 简 直 是 个 花 园 !"

　　běi dà xiào yuán li de wèi míng hú   tú shū
　　北 大 校 园 里 的 未 名 湖 、图 书

guǎn   cāo chǎng   píng guǒ yuán   wǎng qiú chǎng
馆 、操 场 、苹 果 园 、网 球 场

děng ràng qīn qi men gǎn dào fēi cháng xīng fèn
等 让 亲 戚 们 感 到 非 常 兴 奋 ,

dàn shì   běi jīng dà xué de zhēn zhèng yì yì bú shì
但 是 ,北 京 大 学 的 真 正 意 义 不 是

yīn wèi xiào yuán hěn dà   hěn měi   zé yuán hěn nán
因 为 校 园 很 大 、很 美 。泽 原 很 难

xiàng qīn qi men jiě shì qīng chu běi jīng dà xué de
向 亲 戚 们 解 释 清 楚 北 京 大 学 的

jīng shén   yí lù shang   tā men kàn dào gè zhǒng
精 神 ⁴。一 路 上 ,他 们 看 到 各 种

---

1 莲花: lotus flower

2 蝉鸣: cicada singing

3 这旮: (north dialect) here

4 精神: spirit
E.g. 人们既需要物质生活,也需要精神生活。

lǚ yóu tuán dōu lái cān guān běi dà de xiào yuán
旅 游 团 都 来 参 观 北 大 的 校 园 ，

hái yǒu yì xiē dà rén lǐng zhe hái zi men zài xiào
还 有 一 些 大 人 领 着 孩 子 们 在 校

yuán li sàn bù
园 里 散 步 。

　　běi jīng dà xué yǒu yì bǎi duō nián de lì shǐ
　　北 京 大 学 有 一 百 多 年 的 历 史 。

běi dà xiào yuán yì bǎi nián lái méi yǒu shén me gǎi
北 大 校 园 一 百 年 来 没 有 什 么 改

biàn　 biàn huà de shì zhè li de xué sheng　 xiào
变 ， 变 化 的 是 这 里 的 学 生 。 校

yuán li de xué sheng yǒng yuǎn dōu shì xīn de　zài
园 里 的 学 生 永 远 都 是 新 的 。 在

wèi míng hú páng biān　 zǒng shì yǒu nán nǚ xué
未 名 湖 旁 边 ， 总 是 有 男 女 学

sheng zài tán liàn ài　 wǎng qiú chǎng shang yǒu xué
生 在 谈 恋 爱 。 网 球 场 上 有 学

sheng zài dǎ wǎng qiú　 tú shū guǎn qián de cǎo dì
生 在 打 网 球 。 图 书 馆 前 的 草 地

shang　 yǒu jǐ ge nán xué sheng zài yì biān tán jí
上 ， 有 几 个 男 学 生 在 一 边 弹 吉

tā yì biān chàng gē　 tā men chàng de shì dāo láng
他 一 边 唱 歌 。 他 们 唱 的 是 刀 郎

de gē　 dāo láng de gē zài èr líng líng sì nián li fēi
的 歌 。 刀 郎 的 歌 在 2004 年 里 非

cháng liú háng　 zé yuán kàn dào zhè xiē xué
常 流 行 [1] 。 泽 原 看 到 这 些 学

sheng　 yòu xiǎng qǐ le zì jǐ èr shí duō nián qián de
生 ， 又 想 起 了 自 己 二 十 多 年 前 的

1 流行: popular
E.g. 今年这首歌很流
行,很多人都会唱。

dà xué shēng huó
大 学 生 活 。

　　zé yuán duì zhè li de yí qiē dōu gǎn dào qīn qiè
　　泽 原 对 这 里 的 一 切 都 感 到 亲 切[1]，

tōng xiàng tú shū guǎn　jiào shì　shí táng　sù shè de
通 向 图 书 馆 、教 室 、食 堂 、宿 舍 的

měi yì tiáo xiǎo lù　dōu shì tā yǐ qián zǒu guò de　tè
每 一 条 小 路，都 是 他 以 前 走 过 的，特

bié shì tōng xiàng nǚ shēng sù shè de xiǎo lù　tā kàn
别 是 通 向 女 生 宿 舍 的 小 路。他 看

dào le nǚ shēng sù shè lóu de sān líng jiǔ hào fáng jiān
到 了 女 生 宿 舍 楼 的 309 号 房 间

de chuāng hu　nà shì tā qián qī zhù guò de fáng jiān
的 窗 户，那 是 他 前 妻 住 过 的 房 间。

tā hǎo xiàng kàn dào le tā de qián qī　nà shí hou tā
他 好 像 看 到 了 他 的 前 妻，那 时 候 她

shì tā de nǚ péng you　tā xiǎng qǐ le tài duō tài duō
是 他 的 女 朋 友。他 想 起 了 太 多 太 多

de shì qing　tā tū rán gǎn dào fēi cháng jī dòng
的 事 情。他 突 然 感 到 非 常 激 动。

tā gǎn máng kàn kan qīn qi men　hái hǎo tā men
他 赶 忙 看 看 亲 戚 们，还 好 他 们

méi yǒu zhù yì zì jǐ　rán hòu tā yòu lǐng zhe dà jiā
没 有 注 意 自 己。然 后 他 又 领 着 大 家

wǎng qián zǒu　tā men zǒu dào le tā zhù guò de nán
往 前 走。他 们 走 到 了 他 住 过 的 男

shēng sù shè lóu　tā duì lín yào zōng shuō　zhè ge
生 宿 舍 楼。他 对 林 耀 宗 说 ："这 个

sān líng qī fáng jiān shì wǒ yǐ qián zhù guò de
307 房 间 是 我 以 前 住 过 的。"

1 亲切: warm

E.g. 他回到家乡，感
到这里的一切都很亲
切。

zé yuán kàn chū lín yào zōng yě hěn jī dòng
泽 原 看 出 林 耀 宗 也 很 激 动 。

tā jī dòng de kàn zhe sān líng qī chuāng kǒu　jīn tiān
他 激 动 地 看 着 3 0 7 窗 口 。今 天

tā duì běi jīng dà xué gèng jiā chóng bài le　tā wèn
他 对 北 京 大 学 更 加 崇 拜 了。他 问

zé yuán　　shū shu　nǐ shì zěn me kǎo shàng běi dà
泽 原 :" 叔 叔 ,你 是 怎 么 考 上 北 大

de　zěn me kǎo shàng de　zé yuán xiǎng　nà shì
的 ?" 怎 么 考 上 的 ?泽 原 想 ,那 是

kào tā de qīng chūn lǐ xiǎng　tā de nǔ lì　tā de
靠 他 的 青 春 理 想 ,他 的 努 力 ,他 的

jìn qǔ jīng shén
进 取 精 神 [1]。

tā men cóng běi dà chū lái　lái dào fàn guǎn li
他 们 从 北 大 出 来 ,来 到 饭 馆 里

chī wǔ fàn　chī fàn de shí hou　liǎng ge hái zi de
吃 午 饭 。吃 饭 的 时 候 , 两 个 孩 子 的

huà hěn shǎo　lín yào zōng liǎn sè hóng hóng de
话 很 少 。林 耀 宗 脸 色 红 红 的 ,

xiǎo yàn hǎo xiàng yě zài xiǎng zhe shén me　gāng
小 燕 好 像 也 在 想 着 什 么 。刚

cái zài xiào yuán li　kàn dào běi dà nǚ shēng zǒu
才 在 校 园 里 ,看 到 北 大 女 生 走

guò shēn páng shí　xiǎo yàn yì zhí kàn zhe tā men
过 身 旁 时 , 小 燕 一 直 看 着 她 们 。

suī rán zhè xiē nǚ xué sheng liǎn shang bú huà
虽 然 这 些 女 学 生 脸 上 不 化

zhuāng　dàn shì　běi dà nǚ shēng yǒu yì zhǒng tè
妆 , 但 是 , 北 大 女 生 有 一 种 特

---

1 **进取精神**: enterprising spirit; ambitious
E.g. 一个大学生应该有一种进取精神。

yǒu de qì zhì
有 的 气 质 1 。

sān sǎo yì biān chī fàn yì biān shuō　　yào shì
三 嫂 一 边 吃 饭 一 边 说："要 是
zán jiā lín yào zōng kǎo jìn le běi dà　　nà zhēn shì
咱 家 林 耀 宗 考 进 了 北 大, 那 真 是
shāo gāo xiāng　le a　　tā shuō de lín yào zōng liǎn
烧 高 香 2 了 啊。" 她 说 得 林 耀 宗 脸
gèng hóng le
更 红 了。

yóu lǎn běi dà ràng dà jiā gǎn dào yú kuài　zé
游 览 北 大 让 大 家 感 到 愉 快。 泽
yuán kàn hái yǒu shí jiān　jiù lǐng tā men qù yí hé
原 看 还 有 时 间, 就 领 他 们 去 颐 和
yuán　zé yuán yòu jiào le yí liàng chū zū chē　tā
园。 泽 原 又 叫 了 一 辆 出 租 车, 他
men wǎng yí hé yuán zǒu qù　lù shang chē hěn
们 往 颐 和 园 走 去。 路 上 车 很
duō　qù yí hé yuán de rén fēi cháng duō　děng tā
多, 去 颐 和 园 的 人 非 常 多。 等 他
men dào le yí hé yuán　méi yǒu tíng chē de dì fang
们 到 了 颐 和 园, 没 有 停 车 的 地 方
le　méi bàn fǎ　tā men zhǐ hǎo bú jìn yí hé yuán
了。 没 办 法, 他 们 只 好 不 进 颐 和 园
le　kě shì shí jiān hái zǎo　hái bú dào sān diǎn
了。 可 是 时 间 还 早, 还 不 到 三 点
zhōng　zé yuán xiǎng le xiǎng　yuán míng yuán de
钟。 泽 原 想 了 想, 圆 明 园 的
tíng chē chǎng yào dà yì xiē　jiù lǐng tā men qù yuán
停 车 场 要 大 一 些, 就 领 他 们 去 圆

1 气 质: disposition; quality
E.g. 这个女孩没有化妆，也没有穿漂亮的衣服，但是她的气质很好。

2 烧高香: burn tall incense. The sentence implies that if Lin Yaozong enters Beijing University, it is by Buddha's blessing.

míng yuán le
明　园　了。

　　yuán míng yuán de yóu kè què shí shǎo yì xiē
　　圆　明　园　的　游　客　确　实　少　一　些。

shàng wǔ hái yǒu diǎn fēng　dào le xià wǔ　tiān qì
上　午　还　有　点　风，到　了　下　午，天　气

mēn rè　dà jiā dōu bù tíng de chū hàn　zé yuán bǎ
闷　热。大　家　都　不　停　地　出　汗。泽　原　把

bāo li de zhǐ jīn ná chū lái　gěi dà jiā cā hàn　zhǐ
包　里　的　纸　巾　拿　出　来，给　大　家　擦　汗。纸

jīn bú gòu le　tā yòu mǎi le jǐ bāo　zài běi dà xiào
巾　不　够　了，他　又　买　了　几　包。在　北　大　校

yuán li kàn le lǜ shù　hú shuǐ　suǒ yǐ yuán míng
园　里　看　了　绿　树、湖　水，所　以　圆　明

yuán de lǜ shù　hú shuǐ jiù méi shén me yì si le
园　的　绿　树、湖　水　就　没　什　么　意　思　了。

tiān qì tài rè le　zé yuán pà lǎo rén zhòng shǔ
天　气　太　热　了，泽　原　怕　老　人　中　暑[1]，

gǎn máng lǐng dà jiā zǒu dào yuán míng yuán de xī
赶　忙　领　大　家　走　到　圆　明　园　的　西

yáng lóu　zhào le xiàng　kàn le jǐ ge jǐng diǎn
洋　楼，照　了　相，看　了　几　个　景　点，

jiù lǐng tā men wǎng huí zǒu le
就　领　他　们　往　回　走　了。

　　shí jiān guò de hěn màn　tā men hái yǒu hěn
　　时　间　过　得　很　慢，他　们　还　有　很

duō shí jiān　zé yuán xiǎng lǐng tā men qù chī běi
多　时　间。泽　原　想　领　他　们　去　吃　北

jīng kǎo yā　jì rán sān sǎo tí chū lái le　jiù qǐng
京　烤　鸭。既　然　三　嫂　提　出　来　了，就　请

1 中暑 : suffer sun-stroke

dà jiā chī ba
大家吃吧。

　　zé yuán méi xiǎng dào　sān sǎo tū rán shuō　　zé
　　泽　原　没　想　到，三　嫂　突　然　说："泽
yuán　zhè gā lí nǐ jiā bù yuǎn le ba　lǐng ǎn men
原，这　眷离你家不远了吧？领俺们
shàng nǐ jiā zuò zuo　lái yí cì ǎn men hái méi kàn jiàn
上　你家坐坐。来一次俺们还没看见
nǐ xí fu ne　　dōng běi de qīn qi men jué de tā yīng
你媳妇¹呢。"东北的亲戚们觉得他应
gāi qǐng kè rén men dào jiā li zuò kè　rán ér　xiàn zài
该　请　客人们到家里做客。然而，现在
de dà chéng shì　rén qíng lěng mò　　yì bān dōu bú zài
的大　城　市，人情　冷漠²，一般都不在
jiā jiē dài kè rén　rú guǒ zhǔ rén bù yāo qǐng　kè rén
家接待客人。如果主人不邀请³,客人
shì bù néng tí chū dào zhǔ rén jiā li qù de　　zé
是不能提出到主人家里去的。泽
yuán yě kě yǐ shuō　tā jiā lí zhè yuǎn　bù fāng
原也可以说，他家离这远，不方
biàn　jù jué sān sǎo de yāo qiú　dàn shì tā méi
便，拒绝三嫂的要求。但是他没
yǒu shuō bù　bù zhī wèi shén me　tā dā ying le
有说"不"。不知为什么，他答应了
tā men　bú ràng qīn qi men dào jiā li zuò　yě xǔ
他们。不让亲戚们到家里坐，也许
tā pà qīn qi men duì tā bù mǎn yì　huò zhě shì pà
他怕亲戚们对他不满意，或者是怕
mǔ qin duì tā bù mǎn yì
母亲对他不满意。

1 媳妇: wife
儿媳妇: son's wife,
daughter-in-law
Here refers to Zeyuan's
wife, Meimei.

2 冷漠: cold and indif-
ferent
E.g. 别人跟他打招
呼,他好像没听见,态
度非常冷漠。

3 邀请: invite
E.g. 他热情地邀请
朋友们来家里吃晚
饭。

zé yuán méi bàn fǎ　lǐng zhe dà jiā dào jiā li
泽 原 没 办 法，领 着 大 家 到 家 里
qù ba　zé yuán zài qián miàn kāi chē　hòu miàn gēn
去 吧。泽 原 在 前 面 开 车，后 面 跟
zhe chū zū chē　cháo jiā li zǒu qù　tā gěi méi mei
着 出 租 车，朝 家 里 走 去。他 给 梅 梅
dǎ le yí ge diàn huà　shuō qīn qi men yào dào jiā
打 了 一 个 电 话，说 亲 戚 们 要 到 家
li kàn kan　wèn tā néng bu néng gǎn huí lái　méi
里 看 看，问 她 能 不 能 赶 回 来。梅
mei bù gāo xìng de shuō　　tā men yào qù jiù qù
梅 不 高 兴 地 说："他 们 要 去 就 去
ba　wǒ bù huí qù　wǒ zhèng zài zuò měi róng
吧。我 不 回 去，我 正 在 做 美 容 [1]
ne　zé yuán shuō　hǎo ba　wǒ xiān lǐng zhe tā
呢。"泽 原 说："好 吧，我 先 领 着 他
men dào jiā kàn kan　rán hòu zài fù jìn de fàn diàn
们 到 家 看 看，然 后 在 附 近 的 饭 店
chī fàn　méi mei shuō　nǐ kàn zhe bàn ba　guì
吃 饭。"梅 梅 说："你 看 着 办 吧。柜
zi dǐ xià yǒu tuō xié　nǐ men bié bǎ dì bǎn nòng
子 底 下 有 拖 鞋 [2]，你 们 别 把 地 板 弄
zāng le
脏 了。"

zé yuán dǎ wán diàn huà　xīn li hěn bù yú
泽 原 打 完 电 话，心 里 很 不 愉
kuài　dàn shì hái shi xiào zhe gēn èr jiù hé jiù mā
快，但 是 还 是 笑 着 跟 二 舅 和 舅 妈
shuō huà　zé yuán de jiā zài　míng rén jiā yuán
说 话。泽 原 的 家 在 " 名 人 家 园 "

1 美容: beautify appearance
E.g. 她经常做美容，看上去很年轻，其实她已经五十多岁了。

2 拖鞋: slipper

zhù zhái xiǎo qū li xiǎo qū li dào chù shì shù mù
住 宅 小 区 1 里。小 区 里 到 处 是 树 木

huā cǎo xiǎo lóu yí zuò jiē zhe yí zuò fēi cháng
花 草，小 楼 一 座 接 着 一 座，非 常

piào liang qīn qi men bù tíng de jīng tàn zé yuán
漂 亮。亲 戚 们 不 停 地 惊 叹 2。泽 原

lǐng tā men jìn le lóu jìn le tā de dà fáng zi li tā
领 他 们 进 了 楼，进 了 他 的 大 房 子 里。他

bǎ dēng dōu dǎ kāi le fáng jiān li yí xià zi liàng le
把 灯 都 打 开 了，房 间 里 一 下 子 亮 了

qǐ lái tā men hǎo xiàng zhàn zài yí ge wǔ tái
起 来， 他 们 好 像 站 在 一 个 舞 台 3

shang bù néng zuò bù néng zhàn fáng zi li yǒu
上 ，不 能 坐，不 能 站。房 子 里 有

diāo huā de lóu tī piào liang de huā mù qīn qi
雕 花 的 楼 梯、漂 亮 的 花 木。亲 戚

men yí cì yòu yí cì de jīng tàn nǚ rén men gēn zhe
们 一 次 又 一 次 地 惊 叹。女 人 们 跟 着

sān sǎo dào chù kàn tā men kàn le tā hé méi mei de
三 嫂 到 处 看。他 们 看 了 他 和 梅 梅 的

jié hūn zhào piàn hái yǒu méi mei de yì shù zhào
结 婚 照 片，还 有 梅 梅 的 艺 术 照

piàn tā men shuō nǐ xí fu zhēn nián qīng zhēn
片。她 们 说："你 媳 妇 真 年 轻， 真

piào liang
漂 亮！"

zé yuán gǎn dào xīn li měi měi de zhè shí tā
泽 原 感 到 心 里 美 美 的。这 时 他

cái míng bai le tā ràng qīn qi men lái jiā li kàn
才 明 白 了，他 让 亲 戚 们 来 家 里 看

1 住宅小区: residential quarter
E.g. 现在新的住宅小区都很漂亮。

2 惊叹: exclaim

3 舞台: stage

kàn jiù shì xiǎng tīng dào tā men de chēng zàn tā
看 ，就 是 想 听 到 他 们 的 称 赞 。他

xiàn zài guò de shì bái lǐng shēng huó tā zài qīn qi
现 在 过 的 是 白 领 生 活 ，他 在 亲 戚

miàn qián yǒu yì zhǒng yōu yuè gǎn xiàn zài běi
面 前 有 一 种 优 越 感 ¹。现 在 北

jīng dào chù dōu shì yǒu qián rén dào chù dōu shì
京 到 处 都 是 有 钱 人 ，到 处 都 是

guān yuán kě shì tā yǐ jīng sì shí duō suì le hái
官 员 ²。可 是 他 已 经 四 十 多 岁 了 ，还

shì yí ge chù zhǎng ér yǒu de nián qīng rén bǐ tā
是 一 个 处 长 ，而 有 的 年 轻 人 比 他

tí shēng de kuài zhè xiē shǐ tā hěn shǎo yǒu yōu
提 升 得 快 ，这 些 使 他 很 少 有 优

yuè gǎn zhǐ yǒu zài dōng běi qīn qi de yǎn li tā
越 感 。只 有 在 东 北 亲 戚 的 眼 里 ，他

cái shì běi dà de xué sheng guó jiā de guān yuán
才 是 北 大 的 学 生 、国 家 的 官 员 ，

yǒu qì chē yǒu dà fáng zi yǒu yí ge ér zi chū
有 汽 车 ，有 大 房 子 ，有 一 个 儿 子 出

guó liú xué lí guò hūn xiàn zài yòu yǒu yí ge
国 留 学 ，离 过 婚 ，现 在 又 有 一 个

nián qīng piào liang de qī zǐ děng děng qīn qi
年 轻 、漂 亮 的 妻 子 等 等 。亲 戚

men de chēng zàn ràng tā gǎn dào hěn shū fu
们 的 称 赞 让 他 感 到 很 舒 服 。

zé yuán péi dà jiā xià lóu dào fàn guǎn chī
泽 原 陪 大 家 下 楼 ，到 饭 馆 吃

fàn rán hòu yòu kāi chē bǎ tā men sòng huí chéng
饭 ，然 后 又 开 车 把 他 们 送 回 城

1 **优越感**: superiority
E.g. 他父亲是一个
大干部，他在同学面
前有一种优越感，同
学们都不喜欢他。

2 **官员**: official

lǐ   hěn wǎn tā cái huí jiā   tā xīng qī yī yào shàng
里 ，很 晚 他 才 回 家 。他 星 期 一 要 上

bān   bù néng lǐng tā men yóu lǎn le   èr jiù shuō tā
班 ，不 能 领 他 们 游 览 了 。二 舅 说 他

men xiǎng qù cháng chéng   zé yuán gào su lín yào
们 想 去 长 城 。泽 原 告 诉 林 耀

zōng zhào gù hǎo dà jiā   wǎn shang xià bān yǐ hòu
宗 照 顾 好 大 家 ， 晚 上 下 班 以 后 ，

tā qù jiē tā men yì qǐ chī fàn   èr jiù shuō bú yòng
他 去 接 他 们 一 起 吃 饭 。二 舅 说 不 用

le   tā men zì jǐ chī   zé yuán shuō yí dìng děng tā
了 ，他 们 自 己 吃 。泽 原 说 一 定 等 他

yì qǐ chī wǎn fàn
一 起 吃 晚 饭 。

xīng qī yī   zé yuán shàng bān máng le yì
星 期 一 ，泽 原 上 班 忙 了 一

tiān   xià bān yǐ hòu   zé yuán dào xiǎo lǚ guǎn kàn
天 。下 班 以 后 ，泽 原 到 小 旅 馆 看

tā men   zé yuán wèn tā men wánr   de zěn me
他 们 ，泽 原 问 他 们 玩 儿 得 怎 么

yàng   sān sǎo mǎ shàng huí dá shuō   wǒ men bèi
样 ，三 嫂 马 上 回 答 说 ："我 们 被

piàn   le   zuò le hēi chē   shuō hǎo qù bā dá lǐng
骗 ¹ 了 ，坐 了 黑 车 ²。说 好 去 八 达 岭 ³

hé shí sān líng   jié guǒ bā dá lǐng méi qù   shí sān
和 十 三 陵 ⁴，结 果 八 达 岭 没 去 ，十 三

líng kàn le yí ge líng jiù huí lái le   zé yuán yǐ
陵 看 了 一 个 陵 就 回 来 了 。" 泽 原 以

qián zài bào zhǐ shang kàn dào guò   běi jīng yí rì
前 在 报 纸 上 看 到 过 "北 京 一 日

yóu　de hēi chē piàn yóu kè　méi xiǎng dào xiàn
游 "的 黑 车 骗 游 客 ， 没 想 到 现

zài hái shi nà yàng　tā xīn li gǎn dào yǒu diǎn bào
在 还 是 那 样 。他 心 里 感 到 有 点 抱

qiàn　zé yuán shuō　dà jiā méi chū wèn tí　huí
歉 ¹。泽 原 说 ："大 家 没 出 问 题 ，回

lái jiù hǎo　rán hòu tā bǎ huǒ chē piào gěi tā
来 就 好 。"然 后 他 把 火 车 票 给 他

men　chē piào shì míng tiān wǎn shang de wò pù
们 。车 票 是 明 天 晚 上 的 卧 铺

piào　hǎo bù róng yì tā cái mǎi dào liù zhāng wò
票 ²，好 不 容 易 他 才 买 到 六 张 卧

pù piào　lǚ yóu wàng jì　piào hěn nán mǎi　tā
铺 票 。旅 游 旺 季 ，票 很 难 买 。他

men lái de shí hou　zhǐ mǎi dào liǎng zhāng wò pù
们 来 的 时 候 ，只 买 到 两 张 卧 铺

piào　tā men shì huàn zhe shuì jiào de
票 ，他 们 是 换 着 睡 觉 的 。

èr jiù yào gěi zé yuán qián　zé yuán bú yào
二 舅 要 给 泽 原 钱 ，泽 原 不 要 ，

shuō zhè shì tā jìn de xiào xīn　zé yuán yòu shuō
说 这 是 他 尽 的 孝 心 ³。泽 原 又 说 ：

míng tiān bái tiān nǐ men kě yǐ shàng jiē kàn kan
" 明 天 白 天 你 们 可 以 上 街 看 看 ，

mǎi mǎi dōng xi　lèi le　wǎn shang dào huǒ chē
买 买 东 西 。累 了 ，晚 上 到 火 车

shang shuì jiào　zǎo shang jiù dào jiā le
上 睡 觉 ，早 上 就 到 家 了 。"

zé yuán yòu lǐng zhe tā men qù chī le běi jīng
泽 原 又 领 着 他 们 去 吃 了 北 京

---

1 抱歉: sorry

E.g. 很抱歉，我来晚了。

2 卧铺票: sleeping-berth ticket

E.g. 我买了两张卧铺票，一张上铺和一张下铺。

3 孝心: filial piety

E.g. 他母亲年纪大了，他把母亲接到了自己的家里，照顾母亲，尽尽孝心。

kǎo yā　chī guò fàn　zé yuán sòng tā men huí dào
烤鸭。吃过饭，泽原 送 他们 回到

le xiǎo lǚ diàn　zé yuán huí dào jiā yǐ jīng wǎn
了 小 旅店。泽原 回到 家 已经 晚

shang shí yī diǎn le　tā gāng gāng tǎng xià　sān sǎo
上 十一 点了。他 刚 刚 躺 下，三 嫂

jiù lái diàn huà le　shuō　zé yuán　nà shén me
就来 电话了，说："泽原，那什么，

ǎn men míng tiān yì zǎo jiù zǒu　zé yuán yì
俺 们 明 天 一 早 就 走。"泽 原 一

tīng　mǎ shàng cóng chuáng shang zuò qǐ lái　sān
听，马上从 床 上 坐起来。三

sǎo shuō　ǎn men kàn dào huǒ chē zhàn yǒu dà kè
嫂说："俺们 看到 火车站 有 大客

chē　yí ge bái tiān jiù dào　ǎn diē　xiǎng kuài diǎn
车 1，一个 白天 就到。俺爹 2 想 快 点

huí qù　jiù bǎ huǒ chē piào mài le　mǎi le dà kè
回去，就 把 火车 票 卖了，买了 大客

chē de piào　zé yuán hái méi shuō huà　èr jiù jiù
车 的 票。"泽原 还 没 说话，二舅就

bǎ diàn huà jiē guò qù shuō　zé yuán a　wǒ men
把 电话 接过去 说："泽原 啊，我 们

yǐ jīng gěi nǐ tiān le bù shǎo má fan le　jiù bù duō
已经 给你 添了 不少 麻烦了，就 不多

dāi yì tiān le
待 一 天 了……"

zé yuán xīn li jiào kǔ　hái bù tiān má fan　ān
泽 原 心里 叫苦：还 不 添 麻烦，安

pái hǎo de shì qing　zǒng shì gǎi biàn　tā rěn zhe
排 好 的 事 情，总 是 改 变。他 忍 着，

1 **大客车**: coach

2 **爹**：(dialect) father
这里指三嫂的公公，
也就是泽原的二舅。

bù shēng qì kǔ xiào zhe duì èr jiù shuō nǐ
不 生 气 ，苦 笑 着 对 二 舅 说 ："你

men yào zuò yì zhěng tiān de chē rán hòu hái
们 要 坐 一 整 天 的 车 ，然 后 还

yào huàn qì chē nǐ hé jiù mā de shēn tǐ néng
要 换 汽 车 ，你 和 舅 妈 的 身 体 能

xíng ma
行 吗 ？"

èr jiù shuō xíng xíng zǎ bù xíng ne
二 舅 说 ："行 行 。咋 不 行 呢 。"

zé yuán wèn wò pù piào yǐ jīng tuì le shì
泽 原 问 ："卧 铺 票 已 经 退 了 ，是

ma
吗 ？"

èr jiù shuō méi tuì ǎn men wǎng nà gā yí
二 舅 说 ："没 退 ，俺 们 往 那 旮 一

zhàn jiù yǒu rén lái mǎi ǎn men jiù mài le
站 ，就 有 人 来 买 ，俺 们 就 卖 了 。"

zé yuán yòu wèn míng tiān jǐ diǎn fā
泽 原 又 问 ："明 天 几 点 发

chē
车 ？"

èr jiù shuō zǎo shang qī diǎn bàn
二 舅 说 ："早 上 七 点 半 。"

zé yuán shuō zhè yàng ba míng tiān yì zǎo
泽 原 说 ："这 样 吧 ，明 天 一 早

wǒ qù sòng nǐ men
我 去 送 你 们 。"

èr jiù shuō nǐ bié lái le hái zi men yào
二 舅 说 ："你 别 来 了 ，孩 子 们 要

去天安门广场看升旗[1]。我们看完升旗，吃点饭就坐车走了。"

泽原不愿意在电话里再说什么，就说："这么着吧，明天您让三嫂的手机开着，到时我给她打电话。"

放下电话，泽原很生气，他被气得一点也不困了。梅梅在一旁不满意地说："看看你家人，都是什么人！为了点钱，住那么破的旅馆。给他们买好了火车卧铺票，又不让他们出钱，还卖了。买票多难啊！就为省那六七百块钱！这样倒好，他们来北京旅游，没

1 升旗: raise a flag
E.g. 很多去北京旅游的人都要看看升旗仪式。

huā qián　　hái zhuàn qián　le
花　钱，还　赚　钱 ¹ 了……"

　　zé yuán shēng qì de shuō　　nǐ bì zuǐ　xíng
泽原　生　气地说 ："你闭嘴²，行

bu xíng　nà me sú qi
不 行？那么俗气！"

　　zé yuán zhōng yú rěn bu zhù le　　hěn hěn de
泽原　终　于忍不住了，狠　狠地

shuō le tā liǎng jù　zhè jǐ tiān　wèi jiē dài zhè yì
说 了她两句。这几天，为接待这一

jiā rén　tā yì zhí rěn zhe　kě shì zhè xiē nóng cūn
家人，他一直忍着。可是这些 农　村

qīn qi　zǒng shì xiǎng zuò shén me jiù zuò shén me
亲戚，总是想 做什么就做什么，

yì diǎn bú wèi bié rén xiǎng　méi mei zhè zhǒng rén
一 点不为别人想 。梅梅这 种　人

jiù zhǐ shì wèi zì jǐ　zhè xiē qīn qi yě gēn méi mei
就只是为自己。这些亲戚也跟梅 梅

chā bu duō　suàn le　tā men yào zǒu jiù zǒu ba
差不多？算了，他们要走就走吧。

　　zhè yí yè　tā shuì de bù hǎo　tā xīn li yì jǐn
这一夜，他睡得不好。他心里一紧

zhāng jiù shuì bu zháo le　hòu lái tā qǐ chuáng jìn
张　就睡不着了。后来他起床　进

le shū fáng　zhǎo dào bào zhǐ　kàn dào míng tiān
了书房，找 到报纸，看到明　天

de shēng qí shí jiān shì wǔ diǎn shí yī fēn　tài yáng
的升 旗时间是五点十一分。太阳

shēng qǐ de zhè me zǎo ma　tā xiǎng qǐ zì jǐ yǒu
升 起得这么早吗？他想 起自己有

1 赚钱: make a profit
E.g. 他在北京打了
几年工，赚了一些钱。

2 闭嘴: shut up

二十年没看升旗了。他刚来北京
的时候，跟几个大学同学，骑着自
行车一大早去看升旗。那种经历
让人难忘。

早晨四点钟，泽原穿好衣
服，出了门，开着车朝天安门方
向走去。整个的北京还在沉睡[1]，
到处都很安静。街道、立交桥[2]、房
屋、街道两旁的绿树都好像是一
幅幅美丽的画。泽原感到，换一个时
间，北京是这么美丽！

五点钟的时候，泽原把汽车
停到单位的院子里，然后坐公
共汽车去天安门广场。泽原
赶到广场，离升旗还有三分

1 沉睡: sleep deeply

2 立交桥: flyover

zhōng   zhè li yǐ jīng yǒu jǐ qiān rén děng zhe kàn
钟 ，这 里 已 经 有 几 千 人 等 着 看

shēng qí   zé yuán zài rén qún li zhǎo èr jiù yì jiā
升 旗。泽 原 在 人 群 里 找 二 舅 一 家，

dàn shì bù hǎo zhǎo   jǐ qiān rén dōu jìng jìng de
但 是 不 好 找 。 几 千 人 都 静 静 地

děng zhe shēng qí de shí kè   zé yuán yě tíng zhù
等 着 升 旗 的 时 刻，泽 原 也 停 住

le   wǔ diǎn shí yī fēn de shí hou   yí lún hóng rì
了。五 点 十 一 分 的 时 候，一 轮 红 日

màn màn shēng qǐ   guǎng chǎng xiá guāng wàn
慢 慢 升 起， 广 场 霞 光 万

zhàng   zài guó gē shēng zhōng   yí miàn wǔ xīng
丈 ¹。在 国 歌 声 中， 一 面 五 星

hóng qí   màn màn shēng qǐ   guǎng chǎng shang de
红 旗² 慢 慢 升 起。 广 场 上 的

rén men jìng jìng de zhù shì zhe guó qí
人 们 静 静 地 注 视³着 国 旗。

　　zé yuán zài rén qún zhōng kàn dào le èr jiù yì
　　泽 原 在 人 群 中 看 到 了 二 舅 一

jiā zhù shì zhe màn màn shēng qǐ de hóng qí   zài
家 注 视 着 慢 慢 升 起 的 红 旗。在

chén guāng zhōng   zé yuán kàn jiàn èr jiù de shēn
晨 光 中， 泽 原 看 见 二 舅 的 身

páng zhàn zhe lín yào zōng   lín yào zōng kàn shàng
旁 站 着 林 耀 宗。林 耀 宗 看 上

qù fēi cháng jī dòng   zé yuán cóng lín yào zōng
去 非 常 激 动。泽 原 从 林 耀 宗

de mù guāng li   hǎo xiàng chóng xīn kàn jiàn le
的 目 光 里， 好 像 重 新 看 见 了

1 **霞光万丈**: Rays of morning are in full splendor.

2 **五星红旗**: The Five-Star Red Flag is the national flag of China.

3 **注视**: look attentively at; gaze

E.g. 人们都在注视着大钟，等待着新年的到来！

E.g. 他站在山顶，注视着远方。

1 敬仰: revere
E.g. 他是人们敬仰
的科学家。

2 唤醒: awaken

běi jīng　zhè shì xǔ xǔ duō duō wài shěng qīng nián
北 京 。这 是 许 许 多 多 外 省 青 年

suǒ jìng yǎng　de běi jīng　tài yáng měi tiān dōu shì
所 敬 仰 ¹的 北 京 。太 阳 每 天 都 是

xīn de
新 的 。

　　zé yuán zài xīn li qīng qīng de shuō le yì
　　泽 原 在 心 里 轻 轻 地 说 了 一

shēng　zǎo ān　běi jīng　tā hǎo xiàng shì yào huàn
声 ：早 安 ，北 京 ！他 好 像 是 要 唤

xǐng tā zì jǐ
醒 ²他 自 己 。

This story is an abridged version of Xu Kun's short story Good Morning, Beijing, *which was published on* Xiaoshuo Yuebao (小说月报), *No.1, 2005.*

About the author Xu Kun (徐坤):

Xun Kun is one of the most noteworthy contemporary writers of China. She was born in 1965, in Shenyang. She has earned a PhD in literature, and is an associate researcher of China Academy of Sciences, and a member of the China Writers' Association. She began to publish her novels in 1993. She is a prolific writer. Now she has published her works of about three million characters. Her representative works are 白话, 厨房, 狗日的足球, 春天的二十二个

夜晚, etc. She has won many literature awards and prizes abroad and at home. She won the first Literature of Feng Mu (冯牧文学奖), the second Literature Prize of Lu Xu (鲁迅文学奖), the seventh and eighth Baihua awards of *Xiaoshuo Yuebao* (小说月报) etc.

思考题:

1. 为什么人们喜欢到北京旅游、工作、学习?
2. 母亲给泽原打电话让他接待二舅一家来北京旅游,他为什么没有拒绝?
3. 泽原的二舅为什么来北京旅游?
4. 泽原在北京生活了二十多年,他的生活有了哪些改变?
5. 泽原觉得他现在的生活怎么样?
6. 你觉得城里人和农村人有哪些方面不同?
7. 二舅是一个典型的农民形象,他有哪些特点?
8. 你觉得东北话有意思吗? 你能学一点吗?

wǔ　　bīngxuěměirén

五、冰雪美人

yuánzhù　mò yán

原著：莫言

五、冰雪美人

Guide to reading:

This story happens in a small town called Baima Zhen (白马镇). In the story, there is a girl called Meng Xixi. She is beautiful and likes to dress herself up. A teacher of high school often chastises her for her behavior. Meng Xixi leaves school and helps her mother run a fish-head restaurant. The town people feel that Meng Xixi has some moral problems and she is often hurt by rumours and gossips. Meng Xixi becomes ill, and goes to the clinic to see the doctor, called "uncle". "Uncle" does not notice that Meng Xixi is an emergency case as Meng Xixi is waiting silently and he gives operations to two other patients first. "I" in the story loves Meng Xixi in secret and shows great sympathy with her tragedy.

故事正文：

wǒ men de zhèn jiào bái mǎ zhèn hěn piān
我们的镇叫白马镇，很偏

yuǎn lí chéng shì yǒu yì bǎi duō gōng lǐ zhè dì
远[1]，离城市有一百多公里。这地

fang suī rán piān yuǎn dàn fēng jǐng bú cuò méi
方虽然偏远，但风景不错，没

yǒu gōng yè kōng qì qīng xīn zuì jìn zhè xiē nián
有工业，空气清新。最近这些年

yǐ lái zhè li yě kāi shǐ fā zhǎn lǚ yóu yè rén men
以来，这里也开始发展旅游业。人们

chūn tiān lái kàn huā xià tiān lái diào yú qiū tiān
春天来看花，夏天来钓鱼，秋天

lái kàn hóng yè dōng tiān lái shān li huá xuě zhèn
来看红叶，冬天来山里滑雪。镇

shang yǔ xiāng gǎng yì jiā gōng sī hé zī xiū jiàn
上与香港[2]一家公司合资[3]修建

le yí ge hěn dà de huá xuě chǎng
了一个很大的滑雪场。

wǒ gāo zhōng bì yè de shí hou méi yǒu kǎo
我高中毕业的时候没有考

shàng dà xué jiù dāi zài jiā li méi yǒu shì qing
上大学，就待在家里，没有事情

zuò zhěng tiān hé zhèn shang de yì xiē hái zi guǐ
做，整天和镇上的一些孩子鬼

hùn wǒ bà ba hěn zháo jí pà wǒ xué huài le
混[4]。我爸爸很着急，怕我学坏了，

jiù xiǎng gěi wǒ zhǎo ge shì qing zuò
就想给我找个事情做。

1 偏远：remote; far-away
E.g. 他的家在偏远的山区，那里的风景很美。

2 香港：Hong Kong

3 合资：joint venture
E.g. 他在一家合资企业工作，他的工资很高。

4 鬼混：dawdle
E.g. 他不喜欢学习，也不喜欢工作，整天鬼混，他父母很着急。

wǒ bà ba de dì di shì zhèn shang de dài fu　wǒ
我 爸爸 的 弟 弟 是 镇　上　的 大夫，我

jiào tā shū shu　tā yǐ qián zài shì li de yì jiā yī
叫 他 叔 叔 。他 以 前 在 市 里 的 一 家 医

yuàn gōng zuò　xiàn zài tā tuì xiū le　zài zhèn
院　工 作 。现 在 他 退 休 了，在 镇

shang kāi le yì jiā xiǎo yī yuàn　wǒ bà ba ràng wǒ
上　开 了 一 家 小 医 院 。我 爸 爸 让 我

dào tā nà li xué yī
到 他 那 里 学 医 。

　　bà ba bǎ wǒ sòng dào shū shu yī yuàn de nà tiān
　　爸 爸 把 我 送 到 叔 叔 医 院 的 那 天 ，

shū shu zhèng zài gēn wǒ de shěn shen　chǎo jià　tā
叔 叔 正 在 跟 我 的 婶 婶 [1] 吵 架 [2]。他

men kàn dào wǒ men jìn lái le　wǒ shěn shen kū zhe
们 看 到 我 们 进 来 了，我 婶 婶 哭 着

zǒu jìn lǐ wū qù le　fáng mén zài tā shēn hòu xiǎng
走 进 里 屋 去 了，房 门 在 她 身 后 响

le yì shēng　wǒ xīn li gǎn dào yǒu diǎn hài pà　wǒ
了 一 声 。我 心 里 感 到 有 点 害 怕，我

jué de tā men chǎo jià gēn wǒ yǒu guān xi　shěn shen
觉 得 他 们 吵 架 跟 我 有 关 系。婶 婶

kě néng bù xǐ huan wǒ lái xué yī
可 能 不 喜 欢 我 来 学 医 。

　　shū shu kàn le wǒ yì yǎn　méi shuō huà　tā
　　叔 叔 看 了 我 一 眼 ，没 说 话 。他

zuò zài yì bǎ yǐ zi shang　cóng kǒu dài li ná
坐 在 一 把 椅 子 上 ，从 口 袋 里 拿

chū yān　yān bú tài hǎo　tā ná chū yì zhī yān
出 烟 。烟 不 太 好 ，他 拿 出 一 支 烟，

1 婶婶: uncle's wife

2 吵架: quarrel
E.g. 他和老板吵架
了，然后他辞去了工
作。

diǎn shàng huǒ　　xī le qǐ lái　　shū shu xī yān xī
点 上 火 ，吸 了 起 来 。叔 叔 吸 烟 吸
de hěn duō　　bǎ tā de shǒu zhǐ dōu xī chéng le hēi
得 很 多 ，把 他 的 手 指 都 吸 成 了 黑
huáng sè
黄 色 。

　　bà ba ná chū shí ge xián dàn　　fàng zài zhuō zi
　　爸 爸 拿 出 十 个 咸 蛋 [1] ，放 在 桌 子
shang　shuō　　　zhè shì nǐ sǎo zi zuò de　nǐ men
上 ，说 ："这 是 你 嫂 子 做 的 ，你 们
cháng chang
尝 尝 。"

　　shū shu shuō　　　zì jǐ jiā rén　hái yòng kè
　　叔 叔 说 ："自 己 家 人 ，还 用 客
qi　　tā de liǎn sè hǎo xiē le　tā ná chū yì zhī
气 ？"他 的 脸 色 好 些 了 。他 拿 出 一 支
yān　rēng gěi fù qin　fù qin qù jiē　méi jiē zhù　wǒ
烟 ，扔 给 父 亲 。父 亲 去 接 ，没 接 住 ，我
yòu mǎ shàng qù jiē　jiē zhù le　gěi le wǒ fù qin
又 马 上 去 接 ，接 住 了 ，给 了 我 父 亲 。
shū shu kàn zhe wǒ　shuō　　　jiē de hěn kuài ma
叔 叔 看 着 我 ，说 ："接 得 很 快 嘛 ！"
wǒ běn lái xiǎng gào su shū shu　wǒ zài xué xiào de
我 本 来 想 告 诉 叔 叔 ，我 在 学 校 的
bàng qiú　duì liàn xí guò jiē qiú　dàn shì wǒ méi yǒu
棒 球 [2] 队 练 习 过 接 球 ，但 是 我 没 有
shuō　yīn wèi bà ba gào su wǒ　dào le shū shu zhèr
说 。因 为 爸 爸 告 诉 我 ，到 了 叔 叔 这 儿
yǐ hòu　yí dìng yào shǎo shuō huà　duō zuò shì qing
以 后 ，一 定 要 少 说 话 ，多 做 事 情 。

1 咸蛋: preserved egg

2 棒球: baseball

xué yī bù róng yì　　bà ba gēn wǒ shuō le hěn duō
学 医 不 容 易 。爸 爸 跟 我 说 了 很 多

cì　　xué yī bù róng yì　　jí shǐ shì gēn zì jǐ de
次 ："学 医 不 容 易 ，即 使 是 跟 自 己 的

shū shu xué　yě bù xíng　shū shu shì zì jǐ jiā de
叔 叔 学 ，也 不 行 。叔 叔 是 自 己 家 的

rén　duì nǐ hái néng kuān róng　kě shì shěn shen
人 ，对 你 还 能 宽 容 ¹。可 是 婶 婶

jiù bù xíng le　tā gēn wǒ men méi yǒu shén me xuè
就 不 行 了 ，她 跟 我 们 没 有 什 么 血

yuán guān xi　suǒ yǐ yí qiē dōu yào tīng tā
缘 关 系 ²，所 以 一 切 都 要 听 她

de　　bà ba shuō　　wǒ hěn zǎo yǐ qián zài zhōng
的 。"爸 爸 说 ："我 很 早 以 前 在 中

yào diàn li xué yī　gāng kāi shǐ de liǎng nián
药 店 里 学 医 。刚 开 始 的 两 年 ，

wǒ shén me dōu xué bú dào　wǒ yào gàn hěn duō
我 什 么 都 学 不 到 。我 要 干 很 多

huór　　bāng zhù kān hái zi　dǎ shuǐ　sǎo dì
活 儿 ，帮 助 看 孩 子 ，打 水 、扫 地 、

shāo huǒ　　shén me shì qing dōu zuò　　nǐ lái
烧 火 …… 什 么 事 情 都 做 。你 来

zhèr　　shì xué yī　yí dìng yào shǎo shuō huà　duō
这 儿 是 学 医 !一 定 要 少 说 话 ，多

gàn huór
干 活 儿 。"

　　shū shu de yì zhī yān xī wán le　yòu ná chū yì
　　叔 叔 的 一 支 烟 吸 完 了 ，又 拿 出 一

zhī yān xī qǐ lái　tā shuō　　xué diǎn shén me bù
支 烟 吸 起 来 。他 说 ："学 点 什 么 不

1 宽容: tolerant

E.g. 他对人很宽容，跟同事们的关系很好。

2 血缘关系: be related by blood

hǎo　qù zuò shēng yi ma　zuò shén me yě bǐ xué yī
好？去 做 生 意嘛！做 什 么 也 比 学 医
hǎo　wǒ dōu gàn gòu　le
好，我 都 干 够 [1] 了。"

　wǒ bà ba shuō　tā shū shu　wǒ hé nǐ sǎo zi
我 爸爸 说："他 叔 叔，我 和 你 嫂 子
zhǐ yǒu zhè yí ge hái zi　tā shì nǐ de qīn zhí zi
只 有 这 一 个 孩 子。他 是 你 的 亲 侄子 [2]，
nǐ hé tā shěn shen　shuō tā　mà tā　dǎ tā　dōu
你 和 他 婶 婶，说 他、骂 他、打 他，都
méi guān xi
没 关 系。"

　shū shu shuō　xíng le　xíng le　nǐ huí qù
叔 叔 说："行 了，行 了，你 回 去
ba　tā zì jǐ yuàn yì xué　jiù ràng tā zài zhèr
吧，他 自 己 愿 意 学，就 让 他 在 这 儿
gàn ba　rú guǒ wǒ yǒu ér zi　wǒ yí dìng bú ràng
干 吧！如 果 我 有 儿 子，我 一 定 不 让
tā gàn zhè ge
他 干 这 个。"

　wǒ shū shu yǐ qián shì nóng cūn yī shēng　tā
我 叔 叔 以 前 是 农 村 医 生 。他
shén me bìng dōu kàn　zhōng yī　xī yī　wài kē
什 么 病 都 看， 中 医、西 医、外 科、
nèi kē　ér kē　fù kē　gǎi gé kāi fàng　yǐ hòu
内 科、儿 科、妇 科。[3] 改 革 开 放 [4] 以 后，
shū shu tōng guò kǎo shì　dào shěng li de yī yuàn
叔 叔 通 过 考 试，到 省 里 的 医 院
xué xí le liǎng nián　huí lái hòu tā jiù dào shì li yī
学 习 了 两 年 。回 来 后 他 就 到 市 里 医

---

1 够: enough
E.g. 我都干够了。
(I am tired of the work.)
E.g. 他说话太多,我都听够了。

2 侄子: nephew

3 中医 : Chinese medicine;西医: Western medicine; 外科: surgery; 内科: internal medicine; 儿科 : paediatrics; 妇科: gynecology

4 改革开放: opening up and reform
Here it refers to the opening up and reform in 1980s in China.
E.g. 自从改革开放以来,人们越来越喜欢旅游了。

院 工 作， 成 了 外 科 大 夫。 在 市 医
院 他 做 过 几 个 成 功 的 大 手 术。
他 爱 发 脾 气。 市 医 院 对 他 没 办 法， 真
不 知 道 该 怎 么 办。 后 来 我 叔 叔 想
退 休， 医 院 马 上 同 意 了。

叔 叔 退 休 后， 就 在 白 马 镇 上
开 了 一 家 小 医 院。 医 院 非 常 小，
只 有 两 间 房 子。 但 是 在 门 口 却
挂 了 一 个 大 牌 子——"管 氏 大 医
院"。 我 们 家 姓"管"， 所 以 叫"管
氏 大 医 院"。 由 于 叔 叔 以 前 很 有
名， 镇 上 的 人 去 市 里 看 病 不 方
便， 到 市 医 院 看 病 也 很 贵， 所 以 来
叔 叔 这 儿 看 病 的 人 很 多。 在 这 儿，
叔 叔 大 病 小 病 都 看。 叔 叔 当 医

shēng　shěn shen dāng hù shi　wǒ shěn shen shì nóng
生 ， 婶 婶 当 护士。我 婶 婶 是 农

cūn fù nǚ　zhǐ shàng guò sān nián xiǎo xué　bù jiǔ
村 妇 女， 只 上 过 三 年 小 学。不 久

yǐ qián　tā men zuò le yí ge dà shǒu shù　huā qián
以 前，他 们 做 了 一 个 大 手 术，花 钱

hěn shǎo　shǒu shù zuò de yě hěn hǎo　shū shu de
很 少 ， 手 术 做 得 也 很 好 。叔 叔 的

míng shēng zài nóng cūn yuè lái yuè hǎo le
名 声 在 农 村 越 来 越 好 了。

　　shū shu de yī yuàn zhǐ yǒu liǎng jiān fáng zi
　　叔 叔 的 医 院 只 有 两 间 房 子。

lǐ miàn yì jiān shì shǒu shù shì　fáng jiān li yǒu yì
里 面 一 间 是 手 术 室。房 间 里 有 一

zhāng chuáng　shì gěi bìng rén kàn bìng de chuáng
张 床 ，是 给 病 人 看 病 的 床 ，

hái yǒu yì zhāng zhuō zi　zhuō zi shang fàng zhe jǐ
还 有 一 张 桌 子，桌 子 上 放 着 几

ge pán zi　pán zi li yǒu dāo zi shén me de　fáng
个 盘 子，盘 子 里 有 刀 子 什 么 的。房

jiān li hái yǒu yí ge huáng sè de guì zi　guì zi li
间 里 还 有 一 个 黄 色 的 柜 子，柜 子 里

yǒu yì xiē yào píng　zhè xiē jiù shì zhè ge　guǎn shì
有 一 些 药 瓶 。这 些 就 是 这 个 " 管 氏

dà yī yuàn　de quán bù shè bèi
大 医 院 " 的 全 部 设 备[1]。

　　wǒ dào shū shu de yī yuàn yǐ jīng bàn nián duō
　　我 到 叔 叔 的 医 院 已 经 半 年 多

le　zài zhè bàn nián li　wǒ de gōng zuò jiù shì sǎo
了。在 这 半 年 里，我 的 工 作 就 是 扫

1 设备: equipment
E.g. 这家医院的设
备很旧，他们正在准
备换新的。

地、烧水，中午出去买三个盒饭，叔叔、婶婶和我一人一盒。叔叔和婶婶晚上回家睡觉，我睡在医院里看门。我的早饭和晚饭是方便面[1]，有时候叔叔也给我带点吃的。对于医学我也学了一点。叔叔教我认识了几十种常用药，晚上有人来买药，我可以卖给他们。到了冬天，我又多了一件事：生炉子[2]。每天早上在叔叔和婶婶到医院之前，我就把外屋的炉子生好。

叔叔特别能喝水，八磅的热水瓶每天要喝三瓶。他有一个特别大的茶缸子[3]，他的茶缸子很旧、很

1 方便面: instant noodles

2 生炉子: light a stove E.g. 在北方的农村，冬天人们都在家里生炉子。

3 茶缸子: mug

黑。他特别喜欢他的茶缸子。他让

我吸他的烟，但不让我用他的茶

缸。我常常想，如果有一天

叔叔把他的茶缸忘在医院里，那

我就可以用他的茶缸子喝一次水，

尝尝茶缸子里的水是什么味

道。但叔叔从来没给我这样的机

会。他走到哪儿都带着他的茶缸

子，进手术室给人做手术也要把它

拿进去。

一天早上，我生好炉子，给叔

叔烧开水。我擦了桌子，扫了地，就

坐在桌子前吃方便面。屋子外

面下着大雪，刮着北风，而屋子里

有炉子，很暖和。水壶里的水很

kuài jiù kāi le   mào zhe rè qì   shuǐ hú hǎo xiàng
快 就 开 了 ，冒 着 热 气 ，水 壶 好 像

zài chàng gē   wǒ tīng zhe shuǐ hú shēng   tòu guò bō
在 唱 歌 。我 听 着 水 壶 声 ，透 过 玻

li   kàn zhe chuāng wài de dà xuě   jiē dào   fáng
璃 ，看 着 窗 外 的 大 雪 、街 道 、房

wū   hé liú   chuāng wài yí piàn bái sè   wǒ de xīn
屋 、河 流 。 窗 外 一 片 白 色 ，我 的 心

li gǎn dào kōng kōng de
里 感 到 空 空 的 。

wǒ yòng bù cā le jǐ xià chuāng hu   bǎ liǎn tiē
我 用 布 擦 了 几 下 窗 户 ，把 脸 贴

dào chuāng zi shang xiàng wài kàn   wǒ kàn dào yì
到 窗 子 上 向 外 看 。我 看 到 一

tiáo dà hēi gǒu zǒu le guò qù   zhè shí wǒ yòu kàn
条 大 黑 狗 走 了 过 去 。这 时 我 又 看

dào yí ge fù nǚ   shǒu li tí zhe yí ge lán zi cóng
到 一 个 妇 女 ，手 里 提 着 一 个 篮 子 从

hé biān zǒu guò lái   wǒ rèn shi tā   tā xìng mèng
河 边 走 过 来 。我 认 识 她 。她 姓 孟 ，

shì yí ge guǎ fu   tā yǒu yí ge nǚ ér   jiào mèng
是 一 个 寡 妇 ¹。她 有 一 个 女 儿 ，叫 孟

xǐ xǐ   shì wǒ gāo zhōng de tóng xué   tā jiā zài jiē
喜 喜 ，是 我 高 中 的 同 学 。她 家 在 街

shang kāi le yí ge yú tóu huǒ guō   fàn guǎn   fàn
上 开 了 一 个 鱼 头 火 锅 ²饭 馆 。饭

guǎn de míng zi jiào   mèng yú tóu   rén men xí
馆 的 名 字 叫 " 孟 鱼 头 "，人 们 习

guàn jiào tā mèng yú tóu
惯 叫 她 孟 鱼 头 。

1 **寡妇**: widow
E.g. 她当了很多年的寡妇，带着女儿生活，很不容易。

2 **鱼头火锅**: hotpot of fish head

kàn zhe mèng xǐ xǐ de mǔ qin　wǒ xiǎng qǐ le
看 着 孟 喜 喜的母亲，我 想 起了
xué xiào li de xǔ duō shì qing
学 校 里的许多事 情 。

mèng xǐ xǐ de shēn cái　xiàng tā mǔ qin yí
孟 喜 喜的 身 材 [1] 像 她母亲一
yàng gāo dà　dàn bǐ tā mǔ qin hǎo kàn　tā hěn
样 高 大，但比她母 亲 好 看 。她很
piào liang　tā de é tóu hěn kuān　hěn liàng　tā
漂 亮 。她的额头 [2] 很 宽 、很 亮 。她
de méi mao hěn xì　hěn cháng　tā de yǎn jing bú
的 眉 毛 很 细、很 长 。她的 眼 睛 不
tài dà　dàn shì hěn míng liàng　tā de zuǐ yě hěn hǎo
太 大，但 是 很 明 亮 。她的嘴也很 好
kàn　hǎo xiàng hóng hóng de yīng tao　　tā de
看 ， 好 像 红 红 的 樱 桃 [3] 。她的
xiōng hěn gāo　tā jīng cháng chuān zhe pí xié　zài
胸 [4] 很 高 。她经 常 穿 着皮鞋，在
xiào yuán li　zài jiào xué lóu li zǒu lái zǒu qù　tā
校 园 里、在 教 学 楼里走来走去。她
kàn qǐ lái hěn jiāo ào　yǔ qí tā de nǚ tóng xué xiāng
看 起来很 骄 傲，与其他的女 同 学 相
bǐ　tā tài piào liang le
比，她太 漂 亮 了。

wǒ men de zhōng xué hěn bǎo shǒu　　yǒu
我 们 的 中 学 很 保 守 [5]，有
wǔ shí bā tiáo xué sheng guī dìng　xué sheng bú
5 8 条 学 生 规 定 [6]，学 生 不
zhǔn　xī yān　bú zhǔn hē jiǔ　bú zhǔn huà
准 [7] 吸 烟 、不 准 喝 酒 、不 准 化

---

1 **身材**: stature
E.g. 他身材高大。

2 **额头**: forehead

3 **樱桃**: cherry

4 **胸**: breast

5 **保守**: conservative
E.g. 他很保守，不喜
欢时髦的东西。

6 **规定**: rule
E.g. 公司规定每个
人在工作时间要说普
通话。

7 **准**: allow, permit
E.g. 在商场里不准
吸烟。

妆、不准烫发[8]、不准穿高跟
鞋等等。如果谁违反规定，谁
就会受处分，或者被学校开除。
我们的年级主任是个女老师，她的
脸很长，看上去很难看。我
们都不喜欢她，但是很怕她。

　　在一次大会上，年级主任老师
批评孟喜喜，说：“有的同学，不
像样子！你自己对着镜子看看，
还像个学生吗？”大家一下子都
看着孟喜喜。孟喜喜好像一
点儿也不生气，向左看看，向
右看看。然后这个老师对孟喜喜
喊起来：“我说的就是你！你以为这
是什么地方？这是学校，不是酒

1 烫发：perm; have
one's hair permed

bā　zhè shí wǒ kàn dào jǐ ge nǚ shēng qiāo qiāo
吧。"这时我看到几个女生悄悄

de xiào qǐ lái　tā men xiǎn de hěn gāo xìng　nán
地笑起来,她们显得很高兴。男

tóng xué què xiǎn de hěn nán shòu　wǒ yě jué de hěn
同学却显得很难受。我也觉得很

nán shòu　dàn mèng xǐ xǐ què hěn píng jìng　liǎn
难受。但孟喜喜却很平静,脸

shang dài zhe wēi xiào
上带着微笑。

xǐ xǐ hái shi méi shén me biàn huà　hái shi nà
喜喜还是没什么变化,还是那

yàng zài xiào yuán li　jiào xué lóu li zǒu lái zǒu
样在校园里、教学楼里走来走

qù　wǒ men nán tóng xué hěn yuàn yì kàn mèng xǐ
去。我们男同学很愿意看孟喜

xǐ　yǒu hěn duō nán tóng xué gù yì hé mèng xǐ xǐ
喜。有很多男同学故意和孟喜喜

shuō huà　hái yǒu de nán tóng xué cóng jiā li ná lái
说话,还有的男同学从家里拿来

hǎo chī de dōng xi gěi tā chī　wǒ yě cóng jiā li ná
好吃的东西给她吃。我也从家里拿

lái pú tao　yòng yì zhāng zhǐ bāo hǎo　ná dào xué
来葡萄,用一张纸包好,拿到学

xiào　xiū xi de shí hou　wǒ bǎ pú tao gěi le mèng
校。休息的时候,我把葡萄给了孟

xǐ xǐ　rán hòu wǒ jiù gǎn kuài lí kāi le
喜喜,然后我就赶快离开了。

yào shàng kè le　wǒ huí dào jiào shì li　tóng
要上课了,我回到教室里。同

xué men zhèng zài dà shēng de hǎn zhe   tiào zhe
学 们   正 在 大 声 地 喊 着、跳 着,

fēi cháng luàn   mèng xǐ xǐ zhāi xià pú tao xiàng
非 常 乱。孟 喜 喜 摘 下 葡 萄 向

nán hái zi men rēng qù   nán háir   men jiù jǐ zài
男 孩 子 们 扔 去, 男 孩 儿 们 就 挤 在

yì qǐ qiǎng pú tao   yǒu shí hou tā zì jǐ yě chī yì
一 起 抢 [1]葡 萄, 有 时 候 她 自 己 也 吃 一

kē wǒ de xīn li gǎn dào suān suān de wǒ bù gāo
颗。我 的 心 里 感 到 酸 酸 的,我 不 高

xìng tā bǎ pú tao gěi tóng xué chī dàn yě yǒu diǎn
兴 她 把 葡 萄 给 同 学 吃。但 也 有 点

gāo xìng   tā hái shi chī le yì xiē wǒ de pú tao
高 兴, 她 还 是 吃 了 一 些 我 的 葡 萄,

wǒ gǎn dào wǒ yǔ tā de guān xi gèng jìn le yì
我 感 到 我 与 她 的 关 系 更 近 了 一

diǎn   nán tóng xué men zhèng zài hǎn jiào zhe
点。男 同 学 们 正 在 喊 叫 着,

děng dào nián jí zhǔ rèn lǎo shī zǒu jìn jiào shì de shí
等 到 年 级 主 任 老 师 走 进 教 室 的 时

hou dà jiā cái màn màn de ān jìng xià lái
候,大 家 才 慢 慢 地 安 静 下 来。

nián jí zhǔ rèn lǎo shī zhàn dào le mèng xǐ xǐ
年 级 主 任 老 师 站 到 了 孟 喜 喜

de miàn qián   mèng xǐ xǐ de liǎn hóng hóng de   dī
的 面 前。孟 喜 喜 的 脸 红 红 的,低

shēng shuō   duì bu qǐ
声 说:"对 不 起……"

lǎo shī wèn dà jiā   pú tao shì shéi de   shì shéi
老 师 问 大 家:"葡 萄 是 谁 的?是 谁

1 抢: snatch, grab

E.g. 他的钱包被人
抢了。

E.g. 你看,那几个孩
子在抢球,他们玩得
真高兴。

给 孟 喜喜 的？"我 感 到 我 的 脸 在 发
烧，我 赶 忙 把 头 低 下 了。老 师 叫 了
我 的 名 字，让 我 说 是 谁 给 了 孟 喜
喜葡萄。我 正 要 说 话 的 时 候，孟
喜喜 站 了 起 来。她 说："葡 萄 是 他 的，
是 我 从 他 手 里 抢 过 来 的。"

老 师 问 我："这 是 真 的 吗？是 她
从 你 手 里 抢 的 葡 萄 吗？"我 看 了
一 下 老 师，小 声 地 说："是……"我
的 声 音 非 常 低，我 自 己 都 听 不
清 楚。

葡 萄 是 我 给 孟 喜 喜 的，不 是 她
抢 的。可 是 我 害 怕 老 师，不 敢 说 真
话。我 心 里 觉 得 对 不 起 孟 喜 喜。

有 一 天 在 上 课 的 时 候，年 级 主

rèn lǎo shī shuō   jiē shang de fà láng   fàn guǎn
任 老师 说 :"街 上 的 发 廊 、饭 馆 ,

zhāng yú tóu   lǐ yú tóu shén me de   dōu shì sè qíng
张 鱼头、李 鱼头 什 么 的 , 都 是 色 情

háng yè   dà jiā tōu tōu de xiàng mèng xǐ xǐ kàn
行 业 [1]。"大家 偷 偷 地 向 孟 喜喜 看

qù tā de liǎn sè cǎn bái   dàn shì liǎn shang hái shi
去 。她 的 脸色 惨 白 , 但是 脸 上 还是

chū xiàn le wēi xiào
出 现 了 微 笑 。

　　yǒu yì tiān zǎo chen   wǒ gēn zhe mèng xǐ xǐ
　　有 一天 早 晨 , 我 跟 着 孟 喜喜

yì qǐ zǒu jìn xué xiào   cóng pú tao zhè jiàn shì yǐ
一起 走 进 学 校 。从 葡萄 这件 事 以

hòu   wǒ nèi xīn gǎn dào hěn cán kuì   zǒng xiǎng
后 , 我 内 心 感 到 很 惭 愧 [2], 总 想

xiàng tā jiě shì yí xià   kě shì dāng wǒ zhàn zài tā
向 她 解 释 一下 , 可 是 当 我 站 在 她

miàn qián de shí hou   wǒ yòu shuō bù chū huà lái
面 前 的 时 候 , 我 又 说 不 出 话 来 。

ér tā zǒng shì xiào yí xiào   jiù zǒu kāi le   zài tōng
而 她 总 是 笑 一 笑 , 就 走 开 了 。在 通

xiàng jiào xué lóu de lù shang   nián jí zhǔ rèn zhàn
向 教 学 楼 的 路 上 , 年 级 主 任 站

zài nàr   yàng zi hěn lì hài   tóng xué men dōu
在 那儿 , 样 子 很 厉 害 。同 学 们 都

bù gǎn zǒu shàng qián   shéi yě bú yuàn yì yù jiàn
不 敢 走 上 前 , 谁 也 不 愿 意 遇 见

tā   zhǐ yǒu mèng xǐ xǐ xiàng tā zǒu qù   wǒ tū rán
她 。只 有 孟 喜喜 向 她 走 去 。我 突 然

1 色情行业: trade of eroticism

E.g. 政府不准搞色情行业。

E.g. 一些色情行业已经被关了。

2 惭愧: be ashamed of In the story, "I" gave Meng Xixi the grapes, but he did not dare to admit it, and he escaped the teacher's blame. So he felt ashamed of himself.

E.g. 他没有把工作做好,感到很惭愧。

明白了，她是在等 孟喜喜。我的脑子里好像 烧起了一把火。我听到年级主任老师说："孟喜喜，你站住！"

我躲[1]到了一棵大树后面，我看到 孟喜喜在年级主任面前站住了。我看不到 孟喜喜的脸。我听到年级主任低声说了一句什么。过了一会儿，孟喜喜的头突然往前一低，撞 在年级主任的嘴上。大家都听到年级主任大叫一声，然后我们看到她用手捂[2]住了嘴。孟喜喜转身往校门口走去。她走路的样子，好像什么事都没发生。以后，她再也没有回到学

1 躲: hide
E.g. 这个孩子躲在门后，妈妈没有看见他。

2 捂: cover
E.g. 这个老师说话很有意思，学生们都捂着嘴笑。

xiào　xué xiào kāi chú le mèng xǐ xǐ　ér wǒ men
校 。学 校 开 除 了 孟 喜 喜 ,而 我 们
xué sheng rèn wéi shì tā zì jǐ tuì xué de
学 生 认 为 是 她 自 己 退 学 的 。

　　mèng xǐ xǐ tuì xué yǐ hòu　hé mǔ qīn yì qǐ bǎ
　　孟 喜 喜 退 学 以 后 ,和 母 亲 一 起 把
mèng yú tóu fàn guǎn de shēng yi zuò de hóng hóng
孟 鱼 头 饭 馆 的 生 意 做 得 红 红
huǒ huǒ　wǒ men jīng cháng kàn dào tā chuān zhe
火 火 。我 们 经 常 看 到 她 穿 着
hóng qí páo　zhàn zài mén kǒu jiē dài gù kè　tā
红 旗 袍 , 站 在 门 口 接 待 顾 客¹。她
lí kāi xué xiào yǐ hòu　nián jí zhǔ rèn zài shàng kè
离 开 学 校 以 后 , 年 级 主 任 在 上 课
de shí hou　cháng cháng yòng yì xiē huà wǔ rǔ
的 时 候 , 常 常 用 一 些 话 侮 辱
mèng xǐ xǐ　měi cì wǒ zài jiē shang kàn dào mèng
孟 喜 喜 。每 次 我 在 街 上 看 到 孟
xǐ xǐ　xīn li jiù gǎn dào nán shòu
喜 喜 , 心 里 就 感 到 难 受²。

　　wǒ yì biān xiǎng zhe mèng xǐ xǐ　yì biān kàn
　　我 一 边 想 着 孟 喜 喜 , 一 边 看
zhe chuāng wài　wǒ kàn jiàn tā de mǔ qin zǒu jìn le
着 窗 外 。我 看 见 她 的 母 亲 走 近 了
xiǎo yī yuàn de mén kǒu　wǒ kàn dào tā nà liǎng
小 医 院 的 门 口 。我 看 到 她 那 两
tiáo gē bo dòng de fā hóng　zài tā de lán zi li
条 胳 膊 冻 得 发 红 。在 她 的 篮 子 里 ,
wǒ kàn dào le jǐ shí ge féi dà de yú tóu　zhè shí wǒ
我 看 到 了 几 十 个 肥 大 的 鱼 头 。这 时 我

1 顾客：client, customer
E.g. 这家饭馆不错,顾客很多。

2 难受: feel sad
E.g. 她知道做错事情了,心里很难受。

xiǎng qǐ le wǒ bà ba de huà　　dāng rén men duì
想 起 了 我 爸 爸 的 话 。 当 人 们 对

mèng yú tóu shuō xián huà　de shí hou　wǒ bà ba jiù
孟 鱼 头 说 闲 话[1]的 时 候 ，我 爸 爸 就

shuō　　nǐ men hái shi shǎo shuō diǎn ba　yí ge guǎ
说 ：" 你 们 还 是 少 说 点 吧 ，一 个 寡

fu dài zhe yí ge nǚ ér kāi zhe yí ge zhè me dà de fàn
妇 带 着 一 个 女 儿 开 着 一 个 这 么 大 的 饭

guǎn　bù róng yì a　tā men yǒu qián le　nǐ men
馆 ，不 容 易 啊 。她 们 有 钱 了 ，你 们

bù gāo xìng　rú guǒ tā men méi yǒu fàn chī　nǐ
不 高 兴 ，如 果 她 们 没 有 饭 吃 ，你

men jiù gāo xìng ma　wǒ zhī dào bà ba shuō de hěn
们 就 高 兴 吗 ？" 我 知 道 爸 爸 说 得 很

duì
对 。

　　yǐ qián wǒ gēn huài hái zi zài yì qǐ wán de shí
　　以 前 我 跟 坏 孩 子 在 一 起 玩 的 时

hou　　yǒu jǐ cì wǒ xiǎng qù mèng yú tóu fàn guǎn
候 ，有 几 次 我 想 去 孟 鱼 头 饭 馆

chī fàn　kě shì yuǎn yuǎn de kàn dào měi lì de mèng
吃 饭 。可 是 远 远 地 看 到 美 丽 的 孟

xǐ xǐ　wǒ xīn li jiù gǎn dào shí fēn tòng kǔ　dāng
喜 喜 ，我 心 里 就 感 到 十 分 痛 苦 。当

wǒ kàn dào wǒ nà xiē huài péng you men duì mèng
我 看 到 我 那 些 坏 朋 友 们 对 孟

xǐ xǐ dòng shǒu dòng jiǎo　wǒ jiù gǎn máng zǒu kāi
喜 喜 动 手 动 脚 ，我 就 赶 忙 走 开

le　rán hòu wǒ jiù gēn nà xiē huài péng you men dǎ
了 。然 后 我 就 跟 那 些 坏 朋 友 们 打

1 说闲话: gossip
E.g. 他最讨厌说闲
话的人。

架，我 常 常 被 他 们 打 得 鼻 青 脸
肿¹。我 也 经 常 骂 自 己："她 是 你 的
老 婆²吗？她 是 你 的 姐 妹 吗？她 不 是 你 的
老 婆，也 不 是 你 的 姐 姐、妹 妹，你 为 什
么 去 管³她 的 事？"

跟 叔 叔 学 医 以 后，我 已 经 很
长 时 间 没 见 到 孟 喜 喜，也 很
长 时 间 没 想 她 了。我 看 到 她 母
亲 在 雪 地 里 艰 难 地 走 着，我 才 又
想 起 了 她。我 在 想：孟 喜 喜 现 在
干 什 么 呢？

突 然，神 奇⁴的 事 情 出 现 了。孟
喜 喜 向 医 院 慢 慢 地 走 来。她 家 离
叔 叔 的 医 院 很 远。我 在 想 着 孟
喜 喜 的 时 候，她 就 出 现 了。

1 **鼻青脸肿**: badly battered
E.g. 这个孩子在学校打架了，鼻青脸肿地回家了。

2 **老婆** (informal) wife
E.g. 他老婆是旅馆里的服务员。

3 **管**: be concerned about, care about
E.g. 这个孩子的父母离婚了，他没人管，很可怜。

4 **神奇**: magical, miraculous
E.g. 这个故事很神奇，孩子们都很喜欢。

wǒ kàn dào yì bǎ huáng sè de yǔ sǎn　xiàng yī
我 看 到 一 把 黄 色 的 雨 伞 [1] 向 医

yuàn zǒu guò lái　gāng kāi shǐ de shí hou　wǒ hái yǐ
院 走 过 来。刚 开 始 的 时 候,我 还 以

wéi shì wǒ kàn cuò le　dāng tā màn màn zǒu jìn
为 是 我 看 错 了。当 她 慢 慢 走 近,

wǒ kàn dào le yǔ sǎn xià miàn de měi lì shēn cái
我 看 到 了 雨 伞 下 面 的 美 丽 身 材。

zài wǒ men zhèn shang　mèng xǐ xǐ de shēn cái shì
在 我 们 镇 上 , 孟 喜 喜 的 身 材 是

zuì hǎo de　bù guǎn tā zěn yàng zǒu lù　dōu ràng
最 好 的。不 管 她 怎 样 走 路,都 让

rén gǎn dào tā de gāo guì yōu yǎ
人 感 到 她 的 高 贵 优 雅 [2]。

　　mèng xǐ xǐ yuè zǒu yuè jìn　tā de liǎn yě yuè
　　孟 喜 喜 越 走 越 近,她 的 脸 也 越

lái yuè qīng chu　wǒ zhī dào tā huì cóng yī yuàn
来 越 清 楚。我 知 道 她 会 从 医 院

qián miàn hěn kuài zǒu guò qù　wǒ yě zhī dào
前 面 很 快 走 过 去。我 也 知 道,

dāng tā zǒu guò qù de shí hou　wǒ xīn li huì gèng
当 她 走 过 去 的 时 候,我 心 里 会 更

jiā tòng kǔ　wǒ cāi xiǎng　shén me shì dōu kě néng
加 痛 苦。我 猜 想 , 什 么 事 都 可 能

fā shēng　tā shì bú huì lái qiāo yī yuàn de mén de
发 生 ,她 是 不 会 来 敲 医 院 的 门 的。

dàn shì wǒ hái shi děng dài zhe
但 是 我 还 是 等 待 着。

jiù zài zhè shí　tā lái dào le yī yuàn mén kǒu
就 在 这 时,她 来 到 了 医 院 门 口。

1 雨伞: umbrella

2 高贵优雅: noble and elegant

E.g. 这位妇女显得高贵优雅,一点也不俗气。

过了一会儿，又过了一会儿，她还没
有在窗前出现。天哪，她已经
站在了医院的门前！我把脸紧紧地
贴在玻璃上，真的看到她站在了
门前，而且是面向着门。她抬起
手，停了一会儿，好像在想什
么，随后我就听到了敲门声。

我跳过去，赶忙把门打开。她
明媚[1]的脸使我感到眩晕[2]，我的
眼睛里突然涌出了泪水。一股寒气
带着雪花飘进屋里，好像还带
有一种幽香[3]，我知道这是她身
上的香水味。

她客气地对着我点点头，轻
声地问：“管大夫在吗？”

1 明媚: bright
E.g. 今天天气晴朗，
阳光明媚。

2 眩晕: dizziness
E.g. 他头疼，觉得有
点眩晕。

3 幽香: delicate fra-
grance
E.g. 我们坐在树林
里，闻到了一阵阵的
幽香。

wǒ shuō　　　　bú zài　　　　　wǒ gǎn dào zì jǐ de
我 说 ："不 在 ……"我 感 到 自 己 的

yá chǐ zài dǎ chàn
牙 齿 在 打 颤 。

　　kàn dào tā hěn shī wàng　　　wǒ gǎn máng shuō
　　看 到 她 很 失 望 [1]，我 赶 忙 说 ：

wǒ shū shu mǎ shàng jiù lái　　tā bú huì bù lái de
"我 叔 叔 马 上 就 来。他 不 会 不 来 的 ，

tā kěn dìng huì lái de
他 肯 定 会 来 的 ……"

　　tā xiào le xiào　　shōu qǐ yǔ sǎn　　duò le jǐ xià
　　她 笑 了 笑 ，收 起 雨 伞 ，跺 了 几 下

jiǎo　　jiù jìn mén le　　tā bǎ yǔ sǎn fàng zài mén hòu
脚 ，就 进 门 了。她 把 雨 伞 放 在 门 后 ，

tuō xià hēi sè de yáng róng dà yī　　rán hòu bǎ mén
脱 下 黑 色 的 羊 绒 大 衣 ，然 后 把 门

guān shàng　　bīng lěng de shì jiè bèi mén guān zài le
关 上 。冰 冷 的 世 界 被 门 关 在 了

wài bian　　lú huǒ shāo de hěn wàng　　wū zi li zhǐ
外 边 。炉 火 烧 得 很 旺 ，屋 子 里 只

yǒu wǒ men liǎng ge rén　　wǒ xīn li zhǐ yǒu tián mì
有 我 们 两 个 人。我 心 里 只 有 甜 蜜 、

xìng fú　　hé jī dòng　　　wǒ gǎn máng bǎ shū shu
幸 福 、和 激 动 [2]。 我 赶 忙 把 叔 叔

píng shí zuò de yǐ zi bān dào tā miàn qián　　dàn tā
平 时 坐 的 椅 子 搬 到 她 面 前 ，但 她

què zuò zài bìng rén zuò de fāng dèng shang　　bǎ yáng
却 坐 在 病 人 坐 的 方 凳 上 ，把 羊

róng dà yī fàng zài tā de xī gài shang
绒 大 衣 放 在 她 的 膝 盖 上 。

1 失望: disappoint
E.g. 他们学校的足球队输了，他感到很失望。

2 甜蜜: sweet; 幸福: happy; 激动: excited These are the feelings when "I" saw Meng Xixi.

xiàn zài wǒ cái kàn qīng chu　tā chuān zhe yì
现 在 我 才 看 清 楚，她 穿 着 一

tiáo jī hū dào jiǎo miàn de bái sè cháng qún　qún
条 几 乎 到 脚 面 的 白 色 长 裙，裙

zi de liào zi hěn hǎo　kàn shàng qù shí fēn guāng
子 的 料 子 很 好，看 上 去 十 分 光

huá　tā chuān zhe yì shuāng bái sè de pí xié　tóu
滑。她 穿 着 一 双 白 色 的 皮 鞋，头

shang wéi zhe yì tiáo bái sè wéi jīn　tā jiě kāi wéi
上 围 着 一 条 白 色 围 巾。她 解 开 围

jīn　shuō　nǐ men zhè li zhēn nuǎn huo a
巾，说："你 们 这 里 真 暖 和 啊。"

　　wǒ bù zhī dào duì tā shuō shén me　yě bù zhī
　　我 不 知 道 对 她 说 什 么，也 不 知

dào wèi tā zuò shén me　tīng le tā de huà　wǒ tí
道 为 她 做 什 么。听 了 她 的 话，我 提

qǐ shuǐ hú　wǎng lú zi li yòu jiā le yì xiē méi
起 水 壶，往 炉 子 里 又 加 了 一 些 煤 [1]。

　　wǒ tīng dào tā zài wǒ de shēn hòu wèn　xué
　　我 听 到 她 在 我 的 身 后 问："学

de zěn me yàng le　xué de bú cuò ba
得 怎 么 样 了？学 得 不 错 吧？"

　　wǒ bù hǎo yì si de shuō　nǎ li　shén
　　我 不 好 意 思 地 说："哪 里…… 什

me yě méi xué zháo　nǐ zhī dào de　wǒ hěn
么 也 没 学 着…… 你 知 道 的，我 很

bèn
笨 [2]……"

　　wǒ tīng dào tā xiào le jǐ shēng　jiù mǎ shàng
　　我 听 到 她 笑 了 几 声，就 马 上

1 煤: coal

2 笨: stupid; slow-witted

E.g. 他说自己很笨，其实他一点儿也不笨。

tíng zhù le　　tā yǐ qián bú shì zhè yàng de　　tā de
停 住 了。她 以 前 不 是 这 样 的，她 的

xiào shēng zǒng shì hěn xiǎng liàng　　wǒ tái qǐ tóu
笑 声 总 是 很 响 亮 。我 抬 起 头，

kàn tā bǎ yáng róng dà yī hé wéi jīn jǐn jǐn de àn zài
看 她 把 羊 绒 大 衣 和 围 巾 紧 紧 地 按 在

dù zi　shang　　hǎo xiàng pà bèi rén qiǎng zǒu shì de
肚 子¹ 上 ，好 像 怕 被 人 抢 走 似 的。

tā de liǎn sè cǎn bái　　é tóu shang mào zhe hàn
她 的 脸 色 惨 白，额 头 上 冒 着 汗 。

wǒ gǎn máng wèn　　nǐ zěn me le　bìng le ma
我 赶 忙 问："你 怎 么 了？病 了 吗？"

　　tā shuō　　méi shén me
　　她 说："没 什 么……"

　　wǒ shuō　　nǐ děng zhe　wǒ qù jiào wǒ shū
　　我 说："你 等 着，我 去 叫 我 叔

shu
叔 ！"

　　wǒ chōng chū mén kǒu　　gāng pǎo chū jǐ shí
　　我 冲 出 门 口， 刚 跑 出 几 十

bù　jiù yù shàng le shū shu hé shěn shen　wǒ gǎn
步，就 遇 上 了 叔 叔 和 婶 婶 。我 赶

máng shuō　　shū shu　kuài diǎn ba
忙 说："叔 叔，快 点 吧……"

　　shū shu yàn fán　de wèn　　zěn me la
　　叔 叔 厌 烦² 地 问："怎 么 啦？"

　　wǒ shuō　　yǒu bìng rén
　　我 说："有 病 人 。"

　　shū shu hēng le yì shēng
　　叔 叔 哼 了 一 声 。

1 肚子: belly

2 厌烦: be wearied with

E.g. 他对他的工作感到厌烦。他决定辞去工作。

shěn shen wèn　　shì shéi
婶　婶　问 :" 是 谁 ？"

wǒ yǒu diǎn bù hǎo yì si de shuō　　shì mèng
我 有 点 不 好 意 思 地 说 :" 是 孟

xǐ xǐ
喜 喜……"

shū shu kàn le wǒ yì yǎn　yòu hēng le yì
叔 叔 看 了 我 一 眼 , 又 哼 了 一

shēng　shuō　　tā néng yǒu shén me bìng
声 , 说 :" 她 能 有 什 么 病 !"

shěn shen lěng lěng de shuō　　xìng bìng
婶　婶　冷 冷 地 说 :" 性 病 [1] !"

dào le yī yuàn mén kǒu　wǒ qiǎng zài qián
到 了 医 院 门 口 , 我 抢 在 前

miàn　dǎ kāi mén　ràng shū shu hé shěn shen xiān
面 , 打 开 门 , 让 叔 叔 和 婶　婶　先

jìn qù　mèng xǐ xǐ bào zhe dà yī hé wéi jīn zhàn le
进 去 。 孟 喜 喜 抱 着 大 衣 和 围 巾 站 了

qǐ lái　shuō le shēng　　guǎn dài fu hǎo
起 来 , 说 了 声 :" 管 大 夫 好 !"

shū shu hēng le yì shēng　　shěn shen de yǎn jing
叔 叔 哼 了 一 声 , 婶　婶　的 眼 睛

shàng shàng xià xià de kàn le kàn tā　rán hòu
上 　 上 　 下 　 下 地 看 了 看 她 , 然 后

shuō　　yuán lái shì mèng xiǎo jiě　zěn me le　ná
说 :" 原 来 是 孟 小 姐 , 怎 么 了 , 哪

li bù shū fu　bié zhàn zhe　qǐng zuò　qǐng zuò
里 不 舒 服 ? 别 站 着 , 请 坐 , 请 坐 。"

mèng xǐ xǐ zuò huí dào fāng dèng shang　wǒ
孟 喜 喜 坐 回 到 方 凳 上 。 我

1 性病: venereal disease

kàn dào tā de liǎn sè gèng jiā nán kàn　é tóu shang
看 到 她 的 脸 色 更 加 难 看，额 头 上
hái zài mào zhe hàn
还 在 冒 着 汗 。

　　shū shu zhàn zài mén kǒu　yòng mào zi pāi dǎ
　　叔 叔 站 在 门 口，用 帽 子 拍 打
shēn shang de xuě　wǒ hěn zháo jí　shěn shen tuō qù
身 上 的 雪 。我 很 着 急 。婶 婶 脱 去
wài yī　huàn shàng le bái dà guà　rán hòu qù xǐ tā
外 衣，换 上 了 白 大 褂 ¹，然 后 去 洗 她
de bēi zi　hú li de shuǐ kāi le　wǒ shuō　　shū shu
的 杯 子 。壶 里 的 水 开 了 。我 说："叔 叔，
shuǐ kāi le　nín pào chá ba
水 开 了，您 泡 茶 吧 。"

　　shū shu xī le jǐ kǒu yān　cóng tā de bāo li ná
　　叔 叔 吸 了 几 口 烟，从 他 的 包 里 拿
chū tā de dà chá gāng zi　dǎ kāi tā de chá yè tǒng
出 他 的 大 茶 缸 子，打 开 他 的 茶 叶 桶，
bǎ chá yè dào zài tā de shǒu xīn shang　rán hòu yòu
把 茶 叶 倒 在 他 的 手 心 上，然 后 又
dào zài tā de chá gāng zi li　wǒ zǎo jiù zài tā páng
倒 在 他 的 茶 缸 子 里 。我 早 就 在 他 旁
biān děng zhe le　tā bǎ chá yè yí fàng dào chá gāng
边 等 着 了 。他 把 茶 叶 一 放 到 茶 缸
li　wǒ jiù bǎ kāi shuǐ dào jìn qù le
里，我 就 把 开 水 倒 进 去 了 。

　　shū shu jīng qí de kàn le wǒ yì yǎn　rán hòu
　　叔 叔 惊 奇 地 看 了 我 一 眼，然 后
diǎn diǎn tóu　tā ná guò bái dà guà pī zài shēn
点 点 头 。他 拿 过 白 大 褂 披 在 身

1 白大褂: the white gown that doctors and nurses wear

shang　　bǎ mò shuǐ píng hé chǔ fāng jiān ná dào miàn
上 ，把 墨 水 瓶 和 处 方 笺 拿 到 面

qián　jiù wèn mèng xǐ xǐ　　nǎ li bù hǎo
前 ，就 问 孟 喜 喜："哪 里 不 好 ？"

　　mèng xǐ xǐ yí dòng le yí xià dèng zi　bǎ shēn
　　孟 喜 喜 移 动 了 一 下 凳 子，把 身

tǐ zhuǎn guò lái　yǔ shū shu miàn duì miàn de zuò
体 转 过 来，与 叔 叔 面 对 面 地 坐

zhe　gāng yào shuō huà　mén wài chuán lái le kū
着 ，刚 要 说 话 ，门 外 传 来 了 哭

jiào shēng　　guǎn dài fu　guǎn dài fu　kuài jiù jiu
叫 声 ："管 大 夫 ，管 大 夫 ，快 救 救

wǒ niáng　ba
我 娘 [1] 吧……"

　　suí zhe kū jiào shēng　mén bèi zhuàng kāi le
　　随 着 哭 叫 声 ，门 被 撞 开 了 。

yí ge shēn chuān hēi yī fu de féi pàng fù nǚ　yí xià
一 个 身 穿 黑 衣 服 的 肥 胖 妇 女 ，一 下

zi chōng le jìn lái　wǒ yí xià zi jiù rèn chū lái le
子 冲 了 进 来 。我 一 下 子 就 认 出 来 了 ，

tā shì zhèn shang de sūn qī gū
她 是 镇 上 的 孙 七 姑 。

　　shū shu pāi le yí xià zhuō zi　yàn fán de shuō
　　叔 叔 拍 了 一 下 桌 子 ，厌 烦 地 说 ：

nǐ jiào shén me　nǐ niáng zěn me le
"你 叫 什 么 ？你 娘 怎 么 了 ？"

　　sūn qī gū shuō　ǎn niáng bù hǎo le la
　　孙 七 姑 说 ："俺 娘 不 好 了 啦……"

　　shū shu wèn　　zěn me la
　　叔 叔 问 ："怎 么 啦 ？"

1 娘: mother
In some areas, espe-
cially in the country-
side in north-east
China ， mother is
called"娘".

孙七姑又大声喊起来:"呕吐、肚子疼,俺那两个弟弟一点也不管俺娘。"

叔叔说:"抬来吧,我可不出去看病。"

孙七姑说:"就来了,我先来告诉你一下。"

这时大街上传来一个女人的喊叫声:"疼死啦……亲娘啊……疼死啦……"

孙七姑的两个弟弟用一块门板把他们的母亲抬到医院门前,放在雪地上。他们的母亲,身材瘦长,头发花白,不停地坐起来,倒下,起来,倒下。她的儿子站在旁

biān kàn zhe　shū shu dà shēng de shuō　　tái jìn lái
边 看 着。叔 叔 大 声 地 说 ：" 抬 进 来

a　fàng zài wài bian gàn shén me
啊，放 在 外 边 干 什 么？"

　　sūn qī gū de liǎng ge dì di xiǎng bǎ mén bǎn tái
　　孙 七 姑 的 两 个 弟 弟 想 把 门 板 抬

jìn lái　kě shì zěn me yě tái bú jìn lái　shū shu shuō
进 来，可 是 怎 么 也 抬 不 进 来。叔 叔 说 ：

　fàng xià mén bǎn　tái rén
" 放 下 门 板，抬 人。"

　　liǎng ge dì di　yí ge bào zhe tuǐ　yí ge bào
　　两 个 弟 弟，一 个 抱 着 腿，一 个 抱

zhe tóu　zhōng yú bǎ tā men de mǔ qin tái dào le
着 头， 终 于 把 他 们 的 母 亲 抬 到 了

bìng chuáng shang　shū shu hē le jǐ kǒu chá shuǐ
病 床 上。叔 叔 喝 了 几 口 茶 水，

jiù kāi shǐ gěi tā kàn bìng　zhè ge lǎo nǚ rén hǎn jiào
就 开 始 给 她 看 病。这 个 老 女 人 喊 叫

zhe　téng sǐ la　téng sǐ la
着 ：" 疼 死 啦，疼 死 啦……"

　　shū shu yòng shǒu mō mo lǎo nǚ rén de dù pí
　　叔 叔 用 手 摸 摸 老 女 人 的 肚 皮，

　sǐ bù liǎo　nǐ zhè shì lán wěi yán
" 死 不 了！你 这 是 阑 尾 炎[1]。"

　　sūn qī gū zháo jí de wèn　　néng zhì hǎo
　　孙 七 姑 着 急 地 问 ：" 能 治 好

ma
吗？"

　　shū shu shuō　　kāi yì dāo jiù hǎo le
　　叔 叔 说 ：" 开 一 刀 就 好 了。"

1 阑尾炎: appendicitis
E.g. 这位医生正在
给病人做阑尾炎手
术。

sūn qī gū de dà dì di wèn　　yào duō shao
孙 七 姑 的 大 弟 弟 问 ：" 要 多 少

qián
钱 ？"

shū shu shuō　　wǔ bǎi kuài qián
叔 叔 说 ：" 五 百 块 钱 。"

sūn qī gū de èr dì di jiē zhe shuō　　wǔ
孙 七 姑 的 二 弟 弟 接 着 说 ：" 五

bǎi
百 …… "

shū shu shuō　　zhì bu zhì　bú zhì gǎn kuài bǎ
叔 叔 说 ：" 治 不 治 ？ 不 治 赶 快 把

rén tái zǒu
人 抬 走 。"

sūn qī gū gǎn máng shuō　　zhì zhì zhì　　guǎn
孙 七 姑 赶 忙 说 ：" 治 治 治 ！ 管

dài fu　kāi dāo ba　qián hǎo shuō　tā men bú fù
大 夫 ， 开 刀 吧 ， 钱 好 说 ， 他 们 不 付

qián　wǒ fù　tā hěn hěn de kàn zhe liǎng ge dì
钱 ， 我 付 。" 她 狠 狠 地 看 着 两 个 弟

di　shuō　　wǒ men jiù yí ge niáng　qián huā le
弟 ， 说 ：" 我 们 就 一 个 娘 ， 钱 花 了

hái néng zhèng　niáng méi le jiù zhǎo bù huí lái
还 能 挣 ， 娘 没 了 就 找 不 回 来

le
了 。"

shū shu duì shěn shen shuō　　zhǔn bèi zuò shǒu
叔 叔 对 婶 婶 说 ：" 准 备 做 手

shù
术 。"

婶婶一边洗着手一边说：

"这样的手术，到了市里的医院，你们得花三千块！"

叔叔又喝了半缸子水，对孟喜喜点点头，然后就洗手。孟喜喜好像想说什么，但什么也没说。

手术室里，先是传出了大声的喊叫，一会儿就没有声音了。孙家的两个儿子蹲[1]在炉子旁边，不停地吸烟。屋子里的味道很难闻。孟喜喜的样子十分痛苦，但她的身体还是坐得很直，只是两只手不停地动着，一会儿按着大衣和围巾，一会儿又松开。

1 蹲: squat

E.g. 这些小孩蹲着做游戏，大人们站在旁边看着。

wǒ guān xīn de wèn tā　　nǐ téng ma
我 关 心 地 问 她："你 疼 吗？"

tā xiān shì diǎn tóu　rán hòu yòu yáo tóu　wǒ
她 先 是 点 头，然 后 又 摇 头。我

kàn jiàn le tā yǎn jing li de lèi shuǐ　wǒ nán guò
看 见 了 她 眼 睛 里 的 泪 水，我 难 过

jí le　wǒ tīng dào tā xiǎo shēng shuō　　qiú nǐ
极 了。我 听 到 她 小 声 说："求 你

le　　bǎ mén dǎ kāi
了…… 把 门 打 开……"

wǒ lā kāi mén　xuě huā hé hán fēng piāo le jìn
我 拉 开 门，雪 花 和 寒 风 飘 了 进

lái　mèng xǐ xǐ zhāng kāi zuǐ　hū xī zhe xīn xiān
来。孟 喜 喜 张 开 嘴，呼 吸¹着 新 鲜

kōng qì
空 气。

wǒ bǎ zì jǐ pāo fāng biàn miàn de wǎn xǐ le
我 把 自 己 泡 方 便 面 的 碗 洗 了

xǐ　dào le bàn wǎn kāi shuǐ　duān gěi mèng xǐ xǐ
洗，倒 了 半 碗 开 水，端 给 孟 喜 喜，

shuō　　hē diǎn shuǐ ba
说："喝 点 水 吧！"

tā yáo yao tóu　jiān nán de xiào le yí xià　dī
她 摇 摇 头，艰 难 地 笑 了 一 下，低

shēng shuō　　xiè xie
声 说："谢 谢。"

wǒ yí huìr　tīng ting lǐ bian　yí huìr　cóng
我 一 会 儿 听 听 里 边，一 会 儿 从

mén fèng　wǎng li wū kàn kan　shí fēn zháo jí
门 缝²往 里 屋 看 看，十 分 着 急，

1 呼吸: breathe
E.g. 这个病人病得
很重，呼吸都困难了。

2 门缝: chink in the
door

xīn li xiǎng zhe shū shu kuài diǎn bǎ shǒu shù zuò
心 里 想 着 叔 叔 快 点 把 手 术 做

wán kuài diǎn gěi mèng xǐ xǐ kàn bìng
完 ， 快 点 给 孟 喜 喜 看 病 。

shǒu shù zhōng yú zuò wán le
手 术 终 于 做 完 了 。

shěn shen yě zǒu chū lái le yàn fán de duì sūn
婶 婶 也 走 出 来 了 ，厌 烦 地 对 孙

jiā de jiě dì shuō   tái zǒu   tái zǒu   xià wǔ bǎ
家 的 姐 弟 说 ：" 抬 走 ， 抬 走 ， 下 午 把

qián sòng guò lái
钱 送 过 来 。"

tā men zhōng yú zǒu le   shū shu huàn le yī
他 们 终 于 走 了 。叔 叔 换 了 衣

fu xī le yān hē gòu le chá shuǐ zhǔn bèi wèi
服 ，吸 了 烟 ，喝 够 了 茶 水 ， 准 备 为

mèng xǐ xǐ kàn bìng   zhè shí hòu   yí ge gāo dà de
孟 喜 喜 看 病 。这 时 候 ，一 个 高 大 的

nán rén tū rán zhuàng jìn lái le   tā shuāng shǒu wǔ
男 人 突 然 撞 进 来 了 。他 双 手 捂

zhe liǎn
着 脸 。

tā hǎn jiào zhe   jiù jiu wǒ ba   guǎn dài
他 喊 叫 着 ：" 救 救 我 吧 ， 管 大

fu
夫 。"

shū shu wèn   zěn me la
叔 叔 问 ：" 怎 么 啦 ？"

nà rén bǎ shǒu ná kāi   tā mǎn liǎn shì xuè   yì
那 人 把 手 拿 开 ，他 满 脸 是 血 ，一

zhǐ yǎn qiú guà zhe　　tā yòu gǎn máng bǎ liǎn wǔ
只 眼 球 ¹ 挂 着。他 又 赶 忙 把 脸 捂

shàng　　hǎo xiàng pà bié rén kàn jiàn shì de　　wǒ rèn
上 ， 好 像 怕 别 人 看 见 似 的。我 认

chū tā lái le　　tā jiào mǎ kuí　　tā shì zuò yān huā
出 他 来 了，他 叫 马 奎。他 是 做 烟 花

bào zhú de
爆 竹 ² 的。

　　tā yì biān kū yì biān shuō　　jīn tiān zhēn dǎo
　　他 一 边 哭 一 边 说："今 天 真 倒

méi　　wǒ xiǎng zài xià xuě tiān zuò shí yàn　　méi
霉 ³，我 想 在 下 雪 天 做 实 验 ⁴，没

xiǎng dào bǎ wǒ de yǎn jing zhà le
想 到 把 我 的 眼 睛 炸 ⁵ 了。"

　　shū shu hěn hěn de shuō　　huó gāi
　　叔 叔 狠 狠 地 说："活 该 ⁶！"

　　mǎ kuí kū hǎn zhe shuō　　jiù jiu wǒ ba　　wǒ jiā
　　马 奎 哭 喊 着 说："救 救 我 吧，我 家

li hái yǒu yí ge bā shí suì de lǎo niáng
里 还 有 一 个 八 十 岁 的 老 娘 ……"

　　shū shu shuō　　zhè yǔ nǐ de lǎo niáng yǒu shén
　　叔 叔 说："这 与 你 的 老 娘 有 什

me guān xi　　rán hòu hěn kuài de zhàn qǐ lái　　qù
么 关 系？"然 后 很 快 地 站 起 来，去

xǐ shǒu
洗 手 。

　　shěn shen bǎ mǎ kuí fú jìn le shǒu shù shì
　　婶 婶 把 马 奎 扶 进 了 手 术 室，

shū shu yě jìn qù le　　tā yòu méi gěi mèng xǐ xǐ
叔 叔 也 进 去 了。他 又 没 给 孟 喜 喜

1 眼球: eyeball

2 烟花爆竹: firework and firecracker
E.g. 过春节的时候，人们喜欢放烟花爆竹。

3 倒霉: bad luck
E.g. 今天真倒霉，自行车丢了，出门真不方便。

4 做实验: do experiment
E.g. 这个月我很忙，我要做两个重要的实验。

5 炸: explode; blast
E.g. 这里要新盖一座商场，旧楼被炸掉了。

6 活该: serve one's right
E.g. 你喝酒太多，身体不好，活该！

kàn bìng
看 病 。

　　wǒ xīn li duì shū shu hěn bù mǎn yì　wǒ jué de
　　我 心 里 对 叔 叔 很 不 满 意。我 觉 得
shū shu hǎo xiàng shì gù yì bù gěi mèng xǐ xǐ kàn
叔 叔 好 像 是 故 意 不 给 孟 喜 喜 看
bìng　tā shì wán quán yǒu shí jiān gěi mèng xǐ xǐ
病 。他 是 完 全 有 时 间 给 孟 喜 喜
kàn bìng de
看 病 的。

　　mèng xǐ xǐ kàn chū lái le　dāng wǒ kàn zhe tā
　　孟 喜 喜 看 出 来 了。当 我 看 着 她
shí　tā xiàng wǒ yáo yáo tóu　hǎo xiàng zài gào su
时 ,她 向 我 摇 摇 头 ,好 像 在 告 诉
wǒ　tā lǐ jiě wǒ shū shu　wǒ huàn le yì wǎn rè
我 ,她 理 解[1] 我 叔 叔。我 换 了 一 碗 热
shuǐ ràng tā hē　tā yáo yáo tóu　wǒ ràng tā dào lǐ
水 让 她 喝 ,她 摇 摇 头。我 让 她 到 里
miàn de chuáng shang qù tǎng yí xià　tā hái shi yáo
面 的 床 上 去 躺 一 下 ,她 还 是 摇
yáo tóu
摇 头 。

　　mǎ kuí zài shǒu shù shì li bù tíng de jiào hǎn
　　马 奎 在 手 术 室 里 不 停 地 叫 喊 。
wǒ kàn le yí xià shí jiān　yǐ jīng kuài shí èr diǎn
我 看 了 一 下 时 间 ,已 经 快 十 二 点
le　wǒ gāi qù mǎi hé fàn le　dàn jīn tiān wǒ xīn
了。我 该 去 买 盒 饭 了 ,但 今 天 我 心
li hěn luàn　yì diǎn yě bú è　wǒ wèn mèng xǐ
里 很 乱 ,一 点 也 不 饿。我 问 孟 喜

1 理解: understand
E.g. 他没有理解这
篇课文，他又请老师
给他讲了一遍。

xǐ　　nǐ è ma　wǒ qù mǎi ge hé fàn gěi nǐ chī
喜："你饿吗？我去买个盒饭给你吃？"

　　tā hái shi qīng qīng de yáo yao tóu　wǒ kàn dào
　　她还是轻轻地摇摇头。我看到

tā de liǎn shang yǐ jīng méi yǒu le hán shuǐ　liǎn sè
她的脸上已经没有了汗水，脸色

fā huáng　zuǐ chún fā qīng　nà shuāng míng liàng
发黄，嘴唇发青，那双明亮

de yǎn jing yě biàn de àn dàn　le　zài wǒ de jì yì
的眼睛也变得暗淡¹了。在我的记忆

li　tā yǒng yuǎn shén cǎi fēi yáng　tā de shēng
里，她永远神采飞扬²，她的声

yīn yǒng yuǎn qīng cuì liáo liàng　kě xiàn zài tā què
音永远清脆嘹亮³。可现在她却

zhè yàng wú shēng　tòng kǔ de xiào zhe　tā zhǐ
这样无声、痛苦地笑着。她只

néng zhè yàng qīng qīng de yáo tóu
能这样轻轻地摇头。

　　wài miàn de dà xuě bù zhī dào shén me shí
　　外面的大雪不知道什么时

hou tíng le　fēng yě xiǎo le xǔ duō　tài yáng
候停了，风也小了许多。太阳

chū lái le　wǒ men de fáng jiān li yí piàn míng
出来了，我们的房间里一片明

liàng　wǒ duì tā shuō　xuě tíng le　tài yáng
亮。我对她说："雪停了，太阳

chū lái le
出来了。"

　　tā méi yǒu diǎn tóu　yě méi yǒu yáo tóu　gèng
　　她没有点头，也没有摇头，更

1 暗淡：dismal, dim, faint
E.g. 这里灯光暗淡，别在这里看书。

2 神采飞扬：be in fine fettle
E.g. 今天他非常高兴，说起话来神采飞扬。

3 清脆嘹亮：clear, melodious, loud
E.g. 他的歌声清脆嘹亮。

没 有 回 答。我 突 然 发 现，她 的 脸 变
得 像 冰 一 样 的 透 明 [1]。我 大 喊 一
声 ：" 喜 喜 ！"

她 没 有 一 点 反 应。我 跑 上 去，
拍 拍 她 的 肩 头，她 好 像 什 么 也 没
听 见，然 后 她 的 头 倒 向 了 一 边。

我 撞 开 手 术 室 的 门，大 声
地 喊 着：" 叔 叔，叔 叔 ！"

叔 叔 厌 烦 地 问：" 喊 什 么 ？"

" 孟 喜 喜 她 …… 大 概 是 死 了 …… "
我 说 着，哭 了 出 来。

叔 叔 赶 快 冲 了 出 来，跪 在 孟
喜 喜 面 前，看 看 她 的 鼻 息 [2]，摸 摸 她
的 脉，看 了 她 的 眼 睑 [3]。

叔 叔 给 她 注 射 了 强 心 针 [4]，叔

---

1 透明: transparent
E.g. 这个玻璃杯不
透明，我不喜欢。

2 鼻息: snuffle

3 眼睑: eyelid

4 强 心 针 : cardiac
stimulant

1 心脏: heart

2 触击: touch.

3 沮丧: depressed; dejected.
E.g. 这次考试他又没考好, 心情沮丧。

shū shu yòng quán tou měng jī tā de xīn zàng
叔 叔 用 拳 头 猛 击 她 的 心 脏 ¹, shū shu
叔 叔
yòng diàn xiàn chù jī tā de xīn zàng zuì hòu shū
用 电 线 触 击² 她 的 心 脏 。最 后 叔
shu jǔ sàng de zhàn qǐ lái
叔 沮 丧 ³地 站 起 来。

This story is an abridged version of Mo Yan's short story The Beauty of Ice and Snow, *which was published by* Xiaoshuo Yuebao (小说月报), *No.1, 2001.* The Beauty of Ice and Snow *won the eleventh Baihua Award* (百花奖).

About the Author Mo Yan (莫言):

Mo Yan is the pen name for Guan Moye (管谟业), one of the most celebrated contemporary writers in China. Mo Yan was born in a peasant family in Shandong Province in eastern China in 1956, which he fictionalizes as Northeast Gaomi (高密) County. He joined the Army in 1976. He studied in the Art College of Chinese People's Liberation Army and in the postgraduate class of Lu Xun Literature College. Now he works in the Supreme People's Procuratorate (最高人民检察院) and is a member of the Chinese Writers' Association. He began to publish his works in 1981. Mo Yan became famous with his second book 红高粱, which also propelled actress Gong Li to international stardom after it was made into a film by Zhang Yimou, a famous Chinese film director. Mo Yan is a prolific writer. His works include 酒国, 天堂蒜苔之歌, 莫言文集 (5 volumes), 红高粱家族, 丰乳肥臀, 红树林, 透明的红萝卜, 红高粱，short stories including 拇指铐, 师傅越来越幽默, etc. His novella 牛 and short story 沈园 have won the eighth and ninth Baihua Awards （百花奖) of *Xiaoshuo Yuebao* （小说月报）. He has won many prizes at home and abroad. The film 红高粱, having won the Golden Bear Prize at the Berlin International Film Festival (1988), aroused worldwide interest in Chinese films. The film 太阳有耳 won the Silver Bear at the Berlin International Film Festival (1996). His works have been translated into many languages.

思考题：

1. 故事中的白马镇很偏远，现在开始发展了旅游业，但是人们的思想怎样呢？
2. 孟喜喜为什么退学了？
3. 镇上的人们为什么说孟喜喜的闲话？你是怎么认为的？
4. 孟喜喜是一个什么性格的女孩？
5. 孟喜喜很漂亮，是白马镇上的美人。你是怎么理解故事的标题"冰雪美人"的？

六、爱情故事

liù　　ài qíng gù shi

yuánzhù　yú huá
原 著 : 余 华

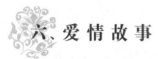

六、爱情故事

Guide to reading:

This love story is not a traditional one like Shakespeare's *Romeo and Juliet* or *the Chinese Liang Shanbo and Zhu Yingtai* (梁山伯与祝英台). What is love? What is marriage? Everybody has a different answer. The following selection, *Love Story*, is the story of a couple whose relationship has a long history. In the 1970s, two teenagers fell in love, giving in to their building passion for one another. More than ten years later, they got married. But as with many marriages, their experience turns out to be less than ideal. Nowadays in China, the ideas of love and marriage of the young generation are not as traditional as the old generation. People's understanding about marriage has changed a lot, and more and more people are divorced. Perhaps this story reveals one of the reasons for divorce in modern society.

故事正文：

1 少年: youngster
E.g. 有几个少年正在足球场上踢足球。

2 检查身体: to have a health check
E.g. 这个大学每年都要给老师们做一次身体检查。

3 怀孕: be pregnant
E.g. 医生告诉她怀孕了，她非常激动，她要当妈妈了。

4 偷偷: stealthily, secretly
E.g. 在人们没有注意的时候，她偷偷地走了。

5 恐惧: fear, dread
E.g. 她一个人住在这座大房子里，感到非常恐惧。

6 熟人: acquaintance
E.g. 今天他在书店里遇见了一个熟人。

7 害怕: be scared
E.g. 在这么多人面前讲话，他一点儿也不害怕。

zhè shì yī jiǔ qī qī nián de qiū tiān　liǎng ge shí
这是一九七七年的秋天。两个十
liù suì de shào nián　zhǔn bèi qù sì shí lǐ yǐ wài de
六岁的少年[1]准备去四十里以外的
yì jiā yī yuàn　nán hái péi zhe nǚ hái qù jiǎn chá
一家医院。男孩陪着女孩去检查
shēn tǐ　tā men yào qù yī yuàn jiǎn chá nǚ hái shì
身体[2]。他们要去医院检查女孩是
bu shì huái yùn le　tā men tōu tōu de liàn ài le
不是怀孕[3]了。他们偷偷[4]地恋爱了。
tā men zài xué xiào de xiào yuán li yòu tōu tōu zuò
他们在学校的校园里又偷偷做
le nán hái hé nǚ hái bù gǎn zuò de shì　tā men shí
了男孩和女孩不敢做的事。他们十
fēn kǒng jù
分恐惧[5]。

nà tiān de tiān qì fēi cháng hǎo　zài gōng gòng
那天的天气非常好。在公共
qì chē zhàn　nán hái dào chē zhàn li mǎi piào　nǚ
汽车站，男孩到车站里买票，女
hái zài chē zhàn wài miàn duǒ zhe　pà shóu rén kàn
孩在车站外面躲着，怕熟人[6]看
jiàn　tā men hài pà bié rén zhī dào tā men yào qù
见。他们害怕[7]别人知道他们要去
de dì fang　chē zhàn wài miàn dào chù shì tǔ　qiū
的地方。车站外面到处是土，秋
tiān de shù yè piāo luò zài dì shang　nǚ hái jìng jìng
天的树叶飘落在地上。女孩静静

de kàn zhe qì chē zhàn de xiǎo mén   tā de mù
地 看 着 汽 车 站 的 小 门 ， 她 的 目
guāng hěn píng jìng
光 很 平 静 ¹。

　　nán hái cóng chē zhàn zǒu le chū lái   tā de
　　男 孩 从 车 站 走 了 出 来 ，他 的
liǎn sè hěn bù hǎo   tā zhī dào nǚ hái duǒ zài nǎr
脸 色 很 不 好 。他 知 道 女 孩 躲 在 哪 儿，
dàn shì tā méi yǒu kàn tā   tā xiàng yí zuò qiáo zǒu
但 是 他 没 有 看 她 。他 向 一 座 桥 走
le guò qù   hěn jǐn zhāng de zuǒ kàn yòu kàn   tā
了 过 去 ， 很 紧 张 地 左 看 右 看 。他
zǒu dào qiáo shang   zhàn zhù le jiǎo   rán hòu
走 到 桥 上 ， 站 住 了 脚 ， 然 后
xiàng nǚ hái wàng le yì yǎn   tā kàn dào nǚ hái
向 女 孩 望 了 一 眼 。他 看 到 女 孩
zhèng kàn zhe tā   tā bù xiǎng kàn tā   tā shēng qì
正 看 着 他 ，他 不 想 看 她 。他 生 气
de zhuǎn guò liǎn qù   tā yì zhí zhàn zài qiáo
地 转 过 脸 去 。他 一 直 站 在 桥
shang   méi yǒu kàn tā   hòu lái nán hái kàn dào
上 ， 没 有 看 她 。后 来 男 孩 看 到
zhōu wéi méi yǒu shóu rén   cái xiàng nǚ hái zǒu guò
周 围 没 有 熟 人 ，才 向 女 孩 走 过
qù   tā zǒu guò qù de shí hou   hěn jīng huāng   nǚ
去 。他 走 过 去 的 时 候 ， 很 惊 慌 ²。女
hái hěn píng jìng   tā kàn dào zhè ge shào nián zài
孩 很 平 静 。她 看 到 这 个 少 年 在
yáng guāng li zǒu lái shí   tā nèi xīn yǒu xiē jī
阳 光 里 走 来 时 ， 她 内 心 有 些 激

1 平静: calm, quiet
E.g. 他喜欢读书、写
作这种平静的生活。

2 惊慌: frighten
E.g. 这个小偷被人发
现后，惊慌地逃跑了。

dòng，tā de liǎn shang chū xiàn le xiào róng。tā
动，她 的 脸 上 出 现 了 笑 容。他

zǒu dào tā shēn páng，duì tā de xiào róng hěn shēng
走 到 她 身 旁，对 她 的 笑 容 很 生

qì。tā xiǎo shēng shuō："zhè shí hou nǐ hái xiào？"
气。他 小 声 说："这 时 候 你 还 笑？"

nǚ hái liǎn shang de xiào róng méi yǒu le。
女 孩 脸 上 的 笑 容 没 有 了。

tā yǒu xiē jǐn zhāng de wàng zhe tā。nán hái
她 有 些 紧 张 地 望 着 他。男 孩

shuō："wǒ gēn nǐ shuō guò hěn duō cì le，nǐ
说："我 跟 你 说 过 很 多 次 了，你

bú yào kàn wǒ，nǐ yào jiǎ zhuāng ¹ bú rèn shi wǒ。
不 要 看 我，你 要 假 装 ¹不 认 识 我。

nǐ wèi shén me kàn wǒ？zhēn tǎo yàn ²。"nǚ
你 为 什 么 看 我？真 讨 厌 ²。"女

hái méi shuō huà。tā kàn zhe dì shang de yí piàn
孩 没 说 话。她 看 着 地 上 的 一 片

huáng shù yè。nán hái gào su tā："shàng gōng
黄 树 叶。男 孩 告 诉 她："上 公

gòng qì chē yǐ hòu，nǐ xiān zhǎo dào zuò wèi zuò
共 汽 车 以 后，你 先 找 到 座 位 坐

xià。rú guǒ méi yǒu shóu rén，wǒ jiù zuò dào nǐ
下。如 果 没 有 熟 人，我 就 坐 到 你

páng biān。rú guǒ yǒu shóu rén，wǒ jiù zhàn zài chē
旁 边。如 果 有 熟 人，我 就 站 在 车

mén páng biān。jì zhù，wǒ men bú yào shuō
门 旁 边。记 住，我 们 不 要 说

huà。"nán hái bǎ chē piào gěi le nǚ hái，rán hòu，
话。"男 孩 把 车 票 给 了 女 孩，然 后，

1 假装: pretend
E.g. 他妈妈让他去厨房洗碗，他假装没听见。

2 讨厌: hate
E.g. 他很讨厌这里的夏天，太热了。

nán hái jiù zǒu kāi le
男 孩 就 走 开 了。

　　tā men shàng le yí liàng pò jiù de gōng gòng
　　他 们 上 了一 辆 破 旧 的 公 共
qì chē　nán hái shì zuì hòu yí ge shàng chē de　tā
汽 车。男 孩 是 最 后 一 个 上 车 的。他
zhàn zài qì chē mén páng biān　méi yǒu zǒu xiàng
站 在 汽 车 门 旁 边，没 有 走 向
tā de zuò wèi　gōng gòng qì chē zài pò jiù de gōng
他 的 座 位。公 共 汽 车 在 破 旧 的 公
lù shang yáo yáo bǎi bǎi　hòu lái nǚ hái jiào tā　nǚ
路 上 摇 摇 摆 摆。后 来 女 孩 叫 他，女
hái de shēng yīn shǐ tā fēi cháng kǒng jù　nán hái fēi
孩 的 声 音 使 他 非 常 恐 惧。男 孩 非
cháng tǎo yàn nǚ hái　kě shì　tā bù tíng de jiào tā
常 讨 厌 女 孩。可 是，她 不 停 地 叫 他。
nán hái zhǐ hǎo zhuǎn guò tóu qù　tā de liǎn sè fēi
男 孩 只 好 转 过 头 去，他 的 脸 色 非
cháng nán kàn　rán hòu nǚ hái ràng tā zuò zài páng
常 难 看。然 后 女 孩 让 他 坐 在 旁
biān de kōng zuò wèi shang　nán hái zài tā shēn
边 的 空 座 位 上。男 孩 在 她 身
páng zuò xià yǐ hòu　gǎn dào nǚ hái gù yì de bǎ
旁 坐 下 以 后，感 到 女 孩 故 意 地 把
shēn tǐ kào jìn tā　nǚ hái shuō le hěn duō huà　kě
身 体 靠 近 他。女 孩 说 了 很 多 话，可
nán hái shén me yě méi tīng jìn qù
男 孩 什 么 也 没 听 进 去。

　　qì chē dào chē zhàn le　dà gài jǐ fēn zhōng yǐ
　　汽 车 到 车 站 了。大 概 几 分 钟 以

hòu liǎng ge shào nián cóng chē zhàn zǒu le chū
后，两个少年从车站走了出

lái tā men xiàng yī yuàn zǒu qù rán hòu tā men
来。他们向医院走去。然后他们

lái dào le yī yuàn de guà hào chù chuāng kǒu guà
来到了医院的挂号处¹窗口，挂

hào chù páng biān méi yǒu rén nán hái tū rán hài pà
号处旁边没有人。男孩突然害怕

qǐ lái tā tū rán hài pà bèi rén zhuā zhù nán hái zǒu
起来，他突然害怕被人抓住。男孩走

chū yī yuàn zhàn zài wài miàn nǚ hái yě zǒu chū
出医院，站在外面。女孩也走出

lái le nán hái gào su tā tā jì xù péi tā hěn wēi
来了。男孩告诉她：他继续陪²她很危

xiǎn bié rén hěn róng yì kàn chū zhè liǎng ge shào
险，别人很容易看出这两个少

nián gàn le shén me huài shì tā shuō nǐ yí ge
年干了什么坏事。他说："你一个

rén jìn qù ba nǚ hái tóng yì le diǎn le diǎn tóu
人进去吧。"女孩同意了，点了点头，

jiù zì jǐ zǒu le jìn qù nán hái kàn zhe tā zǒu dào guà
就自己走了进去。男孩看着她走到挂

hào chù de chuāng kǒu tā yì diǎn yě bù jǐn zhāng
号处的窗口，她一点也不紧张。

nán hái tīng dào nǚ hái shuō le zì jǐ de míng zi
男孩听到女孩说了自己的名字，

shuō tā èr shí suì le míng zi shì jiǎ de nián líng yě
说她二十岁了。名字是假的，年龄也

shì jiǎ de rán hòu tā tīng dào nǚ hái shuō fù kē
是假的。然后他听到女孩说"妇科"³。

fù kē　　zhè liǎng ge zì shǐ tā fēi cháng hài pà　rán
"妇科"这 两 个 字 使 他 非 常 害怕。然

hòu　　nǚ hái lí kāi chuāng kǒu zhuǎn shēn kàn le
后 ，女 孩 离 开 窗 口 转 身 看 了

nán hái yì yǎn　　shàng lóu qù le
男 孩 一 眼 ， 上 楼 去 了。

　　nán hái yì zhí kàn zhe tā　　tā de xīn qíng hěn
　　男 孩 一 直 看 着 她。他 的 心 情 很

chén zhòng　　tā wàng zhe dà jiē　　tā zài yī yuàn
沉 重 。[1] 他 望 着 大 街。他 在 医 院

wài miàn děng zhe nǚ hái　　tā zài nà li zhàn le hěn
外 面 等 着 女 孩。他 在 那 里 站 了 很

cháng yí duàn shí jiān　　kě shì nǚ hái yì zhí méi yǒu
长 一 段 时 间 ，可 是 女 孩 一 直 没 有

xià lóu lái　　tā yòu hài pà qǐ lái　　tā jué de zì jǐ zuò
下 楼 来。他 又 害 怕 起 来，他 觉 得 自 己 做

de shì yǐ jīng bèi bié rén zhī dào le　　tā jué dìng gǎn
的 事 已 经 被 别 人 知 道 了。他 决 定 赶

kuài lí kāi zhè ge dì fang　　jiù wǎng dà jiē de duì
快 离 开 这 个 地 方 ， 就 往 大 街 的 对

miàn zǒu qù　　tā chuān guò jiē dào yǐ hòu　　zǒu jìn
面 走 去。他 穿 过 街 道 以 后 ，走 进

le yì jiā shāng diàn
了 一 家 商 店。

　　guò le yí huìr　　nǚ hái chū xiàn zài jiē duì
　　过 了 一 会 儿，女 孩 出 现 在 街 对

miàn　　tā zhàn zài yì kē shù páng biān　　yǒu xiē
面 。她 站 在 一 棵 树 旁 边 ，有 些

zháo jí　　tā zài zhǎo nán hái　　nán hái cóng shāng
着 急 ，她 在 找 男 孩。男 孩 从 商

2 他的心情很沉重:
His mood is gloomy.

diàn de chuāng zi kàn dào le tā   tā kàn dào nǚ hái
店 的 窗 子看到了她。他 看 到 女孩

shēn hòu méi yǒu kě yí de rén jiù mǎ shàng zǒu
身 后 没 有 可疑[1]的 人 ，就 马 上 走

chū shāng diàn tā zài chuān guò jiē dào shí nǚ hái
出 商 店 。他 在 穿 过 街道时，女孩

kàn dào le tā děng nán hái zǒu guò lái zhī hòu   nǚ
看 到 了他。等 男 孩 走 过 来 之后，女

hái xiàng tā kǔ xiào le yí xià dī shēng shuō   wǒ
孩 向 他 苦笑[2]了一下，低 声 说："我

huái yùn le   nán hái xiàng mù tou yí yàng zhàn zài
怀 孕 了。"男 孩 像 木头一样 站 在

nà li hěn cháng shí jiān méi yǒu dòng tā kàn zhe nǚ
那里，很 长 时 间 没 有 动。他 看着女

hái wèn   zěn me bàn ne
孩，问："怎 么 办 呢？"

nǚ hái qīng shēng de shuō   wǒ bù zhī dào
女孩 轻 声 地说："我 不 知 道。"

nán hái jì xù wèn   zěn me bàn ne
男 孩继续问："怎 么 办 呢？

nǚ hái shuō   bié qù xiǎng zhè xiē le wǒ men
女孩说："别 去 想 这 些了，我 们

qù nà xiē shāng diàn kàn kan ba
去 那 些 商 店 看 看吧。"

nán hái shuō   wǒ bù xiǎng qù
男 孩 说："我 不 想 去。"

nǚ hái bú zài shuō huà tā kàn zhe dà jiē shang
女孩 不再 说 话，她 看 着 大 街 上

de qì chē tā men chuān guò le jiē dào
的汽车。他 们 穿 过 了街道。

---

1 可疑: suspicious
E.g. 这个人很可疑，他总是注意别人的提包。

2 苦笑: forced smile
E.g. 他和女朋友分手了。朋友问他为什么，他只是苦笑，没有回答。

nǚ hái zài cì shuō　　qù shāng diàn kàn kan
女孩 再次 说："去 商 店 看 看

ba　　nán hái hái shi shuō　　wǒ bù xiǎng qù
吧。" 男孩 还是 说："我 不 想 去。"

tā men yì zhí zhàn zài nà li　hěn jiǔ yǐ hòu nán
他 们 一直 站 在那里。很 久 以 后 男

hái cái shuō　　wǒ men huí qù ba　　nǚ hái diǎn
孩 才 说："我 们 回 去 吧。" 女孩 点

diǎn tóu　rán hòu tā men wǎng huí zǒu　méi zǒu
点头。然 后 他 们 往 回 走。没 走

duō yuǎn　zài yì jiā shāng diàn qián miàn　nǚ hái
多 远，在 一家 商 店 前 面，女孩

zhàn zhù le jiǎo　tā yòu duì nán hái shuō　wǒ men
站 住 了脚，她 又 对 男孩 说："我 们

jìn qù kàn kan ba
进 去 看 看 吧。"

nán hái xiǎng le yí huìr　　jiù hé tā yì qǐ zǒu
男孩 想 了一 会 儿，就 和 她 一起 走

jìn shāng diàn　tā men kàn dào yì tiáo bái sè de qún
进 商 店。他 们 看 到 一条 白色 的 裙

zi　nǚ hái yì zhí kàn zhe zhè tiáo qún zi　tā gào su
子，女孩 一直 看着 这 条 裙子。她 告诉

nán hái　　wǒ hěn xǐ huan zhè tiáo qún zi
男孩："我 很 喜 欢 这 条 裙子。"

nán hái xīn li hài pà　tā xiǎng　rú guǒ
男孩 心里 害怕。他 想 ，如 果

rén men zhī dào le tā men zuò de shì qing　rén
人 们 知 道 了他 们 做 的 事 情 ，人

men huì dào chù qù shuō　tā men jiā li yě huì
们 会 到 处 去 说 ，他 们 家 里也 会

chéng fá tā men tā men jiù méi yǒu bàn fǎ
惩 罚 [1] 他 们 。他 们 就 没 有 办 法

shēng huó xià qù le nán hái yuè xiǎng yuè hài
生 活 下 去 了。男 孩 越 想 越 害

pà tā xiǎng táo lí zì shā kě shì nǚ hái
怕。他 想 逃 离 [2]、自 杀 [3]。可 是 女 孩

què yì zhí hěn píng jìng
却 一 直 很 平 静 。

tā men de ài qíng cóng shí liù suì shí kāi shǐ tā
他 们 的 爱 情 从 十 六 岁 时 开 始。他

men jīng lì le hěn duō shí duō nián guò qù le
们 经 历 了 很 多。十 多 年 过 去 了,

nán hái yǐ jīng chéng wéi tā de zhàng fu zhè ge nǚ
男 孩 已 经 成 为 她 的 丈 夫。这 个 女

hái kuài sān shí suì le tā men jié hūn hěn duō nián
孩 快 三 十 岁 了。他 们 结 婚 很 多 年

le xiàn zài tā men miàn duì miàn de zuò zài yì jiān
了。现 在 他 们 面 对 面 地 坐 在 一 间

huáng hūn de wū zi li zhè shì tā men de jiā tā
黄 昏 [4] 的 屋 子 里,这 是 他 们 的 家。她

zuò zài chuāng qián de yì bǎ yǐ zi shang zhèng zài
坐 在 窗 前 的 一 把 椅 子 上 , 正 在

zhī zhe yì tiáo lán sè de wéi jīn
织 着 一 条 蓝 色 的 围 巾 [5]。

tā zhàng fu jiù shì yǐ qián mǎi qì chē piào de nà
她 丈 夫 就 是 以 前 买 汽 车 票 的 那

ge nán hái zài yī jiǔ qī qī nián de qiū tiān tā péi
个 男 孩。在 一 九 七 七 年 的 秋 天,他 陪

nǚ hái yì qǐ qù le nà ge sì shí lǐ yǐ wài de yī
女 孩 一 起 去 了 那 个 四 十 里 以 外 的 医

1 惩罚: punish
E.g. 她骗了很多人的钱，最后被警察抓住了,受到了惩罚。

2 逃离: get away from
E.g. 他偷了一辆汽车,逃离了这个城市。

3 自杀: suicide
E.g. 电影中的这个女孩为了爱情自杀了。

4 黄昏: dusk

5 正在织着一条蓝色的围巾: knitting a blue scarf

yuàn   tā men zài wǔ suì de shí hou jiù rèn shi le   tā
院 。他 们 在 五 岁 的 时 候 就 认 识 了 。他

men kuài dào shí liù suì de shí hou liàn ài le   yǒu le
们 快 到 十 六 岁 的 时 候 恋 爱 了 ,有 了

dì yī cì xìng xíng wéi   tā dì yī cì huái yùn yě shì
第 一 次 性 行 为 ¹。她 第 一 次 怀 孕 也 是

zài nà shí hou
在 那 时 候 。

xiàn zài zhàng fu jué de tā men de shēng huó
现 在 丈 夫 觉 得 他 们 的 生 活

méi yǒu yì si   tā jué de tā men zài yì qǐ de shí jiān
没 有 意 思 。他 觉 得 他 们 在 一 起 的 时 间

tài cháng le   tā tiān tiān kàn zhe qī zǐ   zuò zhe
太 长 了 。他 天 天 看 着 妻 子 ,做 着

tóng yàng de shì qing   tā duì shēng huó méi yǒu le
同 样 的 事 情 。他 对 生 活 没 有 了

jī qíng   tā jué de   zuì dà de cuò wù jiù shì zài jié
激 情 ²。他 觉 得 ,最 大 的 错 误 就 是 在 结

hūn de shí hou   tā méi yǒu xiǎng dào tā men yào
婚 的 时 候 ,他 没 有 想 到 他 们 要

yǒng yuǎn de zài yì qǐ   tā jué de tā de shēng huó
永 远 地 在 一 起 。他 觉 得 他 的 生 活

biàn de yuè lái yuè chén jiù   tā bù xiǎng bǎ zhè
变 得 越 来 越 陈 旧 ³。他 不 想 把 这

zhǒng chén jiù de shēng huó jì xù xià qù le
种 陈 旧 的 生 活 继 续 下 去 了 。

zhàng fu cháng cháng xiàng qī zǐ jiě shì   wǒ
丈 夫 常 常 向 妻 子 解 释 :"我

men wǔ suì jiù rèn shi le   zhè zhǒng qīng méi zhú
们 五 岁 就 认 识 了 。这 种 青 梅 竹

1 **性行为**: the sex act

2 **激情**: passion, enthusiasm
E.g. 他对写小说很有激情。

3 **陈旧**: old; outdated
E.g. 房间里的东西很陈旧,很多年都没人住了。

mǎ   de ài qíng shì hěn kě pà de
马 1 的 爱 情 是 很 可 怕 2 的 。"

　　zhàng fu yí cì yòu yí cì de wèn qī zǐ　　nán
　　丈 夫 一 次 又 一 次 地 问 妻 子 ："难

dào nǐ bù jué de wǒ tài shóu xī le ma
道 你 不 觉 得 我 太 熟 悉 了 吗 ?"

　　dàn shì qī zǐ zǒng shì hěn mí máng de kàn zhe
　　但 是 妻 子 总 是 很 迷 茫 3 地 看 着

tā
他 。

　　zhàng fu jì xù shuō　　wǒ men cóng wǔ suì de
　　丈 夫 继 续 说 ："我 们 从 五 岁 的

shí hou jiù rèn shi le　èr shí duō nián hòu wǒ men
时 候 就 认 识 了 , 二 十 多 年 后 我 们

hái zài yì qǐ　wǒ men de shēng huó néng fā shēng
还 在 一 起 。我 们 的 生 活 能 发 生

shén me biàn huà ne　wǒ men de shēng huó zěn me
什 么 变 化 呢 ? 我 们 的 生 活 怎 么

huì yǒu jī qíng ne
会 有 激 情 呢 ?"

　　qī zǐ tīng le zhàng fu de huà yǐ hòu　zǒng shì
　　妻 子 听 了 丈 夫 的 话 以 后 , 总 是

gǎn dào yǒu xiē huāng luàn
感 到 有 些 慌 乱 。

　　zhàng fu jì xù shuō　　wǒ duì nǐ tài liǎo jiě
　　丈 夫 继 续 说 ："我 对 你 太 了 解

le　jiù xiàng yì zhāng tiē zài qiáng shang de bái zhǐ
了 , 就 像 一 张 贴 在 墙 上 的 白 纸

yí yàng　nǐ duì wǒ yě shì tóng yàng
一 样 。你 对 我 也 是 同 样 。"

1 **青梅竹马**: A boy and a girl who once played innocently together during their childhood.

2 **可怕**: fearful
E.g. 他发脾气的样子很可怕。

3 **迷茫**: confounded, confused
E.g. 他对他的前途感到迷茫。

qī zǐ kū le
妻子哭了。

zhàng fu jiē zhe shuō　　wǒ men zài yì qǐ yǐ
丈 夫 接着 说："我 们 在一起 已

jīng méi yǒu jī qíng le　wǒ men zhǐ néng huí xiǎng
经 没 有 激 情 了。我 们 只 能 回 想

guò qù nà ge shí hou wǒ men kuài shí liù suì le zài
过 去。那个 时 候 我 们 快 十六岁了。在

nà ge méi yǒu yuè guāng de yè wǎn wǒ men zài
那个 没 有 月 光 的 夜 晚，我 们 在

xué xiào de cǎo dì shang yōng bào zài yì qǐ wǒ
学 校 的 草 地 上，拥 抱¹在一起，我

hěn jīng huāng páng biān de nà tiáo xiǎo lù shang
很 惊 慌。旁 边 的 那条 小 路 上，

cháng cháng yǒu rén lù guò tā men de shuō huà
常 常 有 人 路 过，他 们 的 说 话

shēng ràng wǒ gǎn dào kǒng jù hǎo jǐ cì wǒ dōu
声 让 我 感 到 恐 惧。好 几 次 我 都

xiǎng pǎo diào zhǐ shì yīn wèi wǒ bèi nǐ jǐn jǐn bào
想 跑 掉。只 是 因 为 我 被 你 紧紧抱

zhù wǒ cái méi yǒu pǎo diào nà ge yè wǎn wǒ
住，我 才 没 有 跑 掉。那个 夜 晚 我

méi xiǎng zuò shén me kě shì hòu lái zài nà ge méi
没 想 做 什么。可是 后 来，在 那个 没

yǒu yuè guāng de yè wǎn wǒ duì nǐ de shēn tǐ
有 月 光 的 夜 晚，我 对 你 的 身 体

chōng mǎn le hào qí xīn wǒ de yù wàng hái shi
充 满 了 好 奇 心。我 的 欲 望²还 是

ràng wǒ jìn rù le nǐ de shēn tǐ yī jiǔ qī qī nián
让 我 进 入 了 你 的 身 体。一九七七 年

1 拥抱: hug
E.g. 他们很长时间没见面了，一见面就互相拥抱。

2 欲望: desire
E.g. 他赚钱的欲望很强。

秋天的那一日，我与你一起去了四十里以外的那个医院。在知道你怀孕的时候，我痛恨 [1] 那只有几分钟的快乐。欲望差点毁 [2] 了我。在后来很多的日子里，我想到了自杀与逃亡。因为，我们很有可能被学校开除，被赶出家门。人们都会知道我们的事情，我们最后只能——自杀。"

女孩的声音在十六岁时已经固定 [3] 了。现在丈夫天天都要听到她的声音。妻子的声音使他已经没有了激情。因此，在黄昏里，丈夫面对着妻子，感到越来越疲倦 [4]。妻子还在织着那条蓝色的围

1 痛恨: hate bitterly
E.g. 他最痛恨说假话的人。

2 毁: ruin, destroy
E.g. 你怎么弄的，毁了这么好的一本书！

3 固定: fixed
E.g. 他的工作很固定。

4 疲倦: wearied, tired
E.g. 今天他玩了一天，非常疲倦。

jīn   tā de liǎn yī rán hái shi guò qù de liǎn   yǔ guò
巾 。她 的 脸 依 然 还 是 过 去 的 脸 。与 过

qù bù yí yàng de shì   tā liǎn shang kāi shǐ chū xiàn
去 不 一 样 的 是 ，她 脸 上 开 始 出 现

le zhòu wén   zhàng fu duì qī zǐ què shí shì tài liǎo
了 皱 纹 ¹。丈 夫 对 妻 子 确 实 是 太 了

jiě le   xiàn zài qī zǐ kāi shǐ zhù yì zhàng fu shuō de
解 了 。现 在 妻 子 开 始 注 意 丈 夫 说 的

huà le
话 了 。

    zhàng fu duì qī zǐ shuō   zài nǐ hái méi yǒu
    丈 夫 对 妻 子 说 ："在 你 还 没 有

shuō huà de shí hou   wǒ jiù zhī dào nǐ yào shuō shén
说 话 的 时 候 ，我 就 知 道 你 要 说 什

me   zài měi tiān zhōng wǔ shí yī diǎn bàn hé bàng
么 ；在 每 天 中 午 十 一 点 半 和 傍

wǎn wǔ diǎn de shí hou   wǒ zhī dào nǐ yào huí jiā
晚 五 点 的 时 候 ，我 知 道 你 要 回 家

le   wǒ kě yǐ zài yì bǎi ge nǚ rén de jiǎo bù shēng
了 。我 可 以 在 一 百 个 女 人 的 脚 步 声

li   tīng chū nǐ de shēng yīn   ér wǒ duì nǐ lái
里 ，听 出 你 的 声 音 。而 我 对 你 来

shuō   bú yě shì tóng yàng ma
说 ，不 也 是 同 样 吗 ？"

    qī zǐ tíng zhù le   tā kāi shǐ rèn zhēn de kàn
    妻 子 停 住 了 ，她 开 始 认 真 地 看

zhe tā de zhàng fu
着 她 的 丈 夫 。

    zhàng fu jì xù shuō   yīn cǐ wǒ men hù xiāng
    丈 夫 继 续 说 ："因 此 我 们 互 相

---

1 皱纹: wrinkle

E.g. 这些天她心情不好，脸上的皱纹也多了。

dōu bù kě néng shǐ duì fāng gǎn dào jīng xǐ　wǒ
都 不 可 能 使 对 方 感 到 惊 喜¹。我

men zuì duō zhǐ néng gěi duì fāng yì diǎn gāo xìng
们 最 多 只 能 给 对 方 一 点 高 兴 ，

ér zhè zhǒng gāo xìng zài dà jiē shang dào chù dōu
而 这 种 高 兴 在 大 街 上 到 处 都

yǒu
有 。"

zhè shí qī zǐ kāi kǒu shuō huà le　tā shuō　wǒ
这 时 妻 子 开 口 说 话 了。她 说 ："我

míng bai nǐ de yì si le
明 白 你 的 意 思 了。"

zhàng fu kàn dào tā de yǎn lèi liú chū lái le
丈 夫 看 到 她 的 眼 泪 流 出 来 了。

qī zǐ shuō　nǐ shì xiǎng bǎ wǒ yì jiǎo tī kāi
妻 子 说 ："你 是 想 把 我 一 脚 踢 开²。"

zhàng fu méi yǒu fǒu rèn　ér shì shuō　zhè
丈 夫 没 有 否 认³，而 是 说 ："这

huà duō nán tīng
话 多 难 听 。"

qī zǐ yòu chóng fù dào　nǐ xiǎng bǎ wǒ yì
妻 子 又 重 复 道 ："你 想 把 我 一

jiǎo tī kāi　tā de yǎn lèi zài jì xù liú zhe
脚 踢 开 。" 她 的 眼 泪 在 继 续 流 着 。

zhàng fu shuō　zhè huà tài nán tīng le　ràng
丈 夫 说 ："这 话 太 难 听 了。让

wǒ men zài huí xiǎng yí xià wǎng shì ba
我 们 再 回 想 一 下 往 事 吧。"

qī zǐ wèn　shì zuì hòu yí cì ma
妻 子 问 ："是 最 后 一 次 吗 ？"

1 惊喜: joy and aston-
ishment
E.g. 她惊喜地收到
了大学的入学通知。

2 踢开: kick away
E.g. 他一脚把们踢
开，冲了进去。
E.g. 他有了一个情
人，就想把她的妻子
踢开了。

3 否认: deny
E.g. 他否认他说过
这件事。

zhàng fu méi yǒu huí dá tā de wèn tí　tā jì
丈　夫　没　有　回　答　她　的　问　题。他　继

xù shuō　　wǒ men de huí xiǎng cóng shén me shí
续　说 ："我　们　的　回　想　从　什　么　时

hou kāi shǐ ne
候　开　始　呢 ?"

　qī zǐ réng rán zhè yàng wèn　　shì zuì hòu yí
妻子　仍　然　这　样　问 ："是　最　后　一

cì ba
次　吧 ?"

　zhàng fu shuō　　cóng yī jiǔ qī qī nián de qiū
丈　夫　说 ："从　一　九　七　七　年　的　秋

tiān kāi shǐ ba　wǒ men zuò shàng nà liàng pò jiù de
天　开　始　吧。我　们　坐　上　那　辆　破　旧　的

qì chē　qù sì shí lǐ yǐ wài de nà ge dì fang　qù
汽　车 ,去　四　十　里　以　外　的　那　个　地　方 ,去

jiǎn chá nǐ shì bu shì yǐ jīng huái yùn　nà ge shí hou
检　查　你　是　不　是　已　经　怀　孕。那　个　时　候

wǒ kě zhēn shì sàng hún luò pò
我　可　真　是　丧　魂　落　魄 [1]。"

　qī zǐ shuō　　nǐ méi yǒu
妻子　说 :"你　没　有。"

　zhàng fu shuō　　wǒ què shí sàng hún luò pò
丈　夫　说 :"我　确　实　丧　魂　落　魄

le
了。"

　bù　nǐ méi yǒu sàng hún luò pò　　qī zǐ zài
"不,你　没　有　丧　魂　落　魄。"妻子　再

cì zhè yàng shuō　　cóng wǒ rèn shi nǐ dào xiàn
次　这　样　说 ,"从　我　认　识　你　到　现

1 丧魂落魄: be scared out of one's wits; be terror-stricken

E.g. 一看到警察,他就丧魂落魄。

zài　nǐ zhǐ yǒu yí　cì sàng hún luò pò
在，你 只 有 一 次 丧 魂 落 魄。"

zhàng fu wèn　　shén me shí hou
丈 夫 问 ："什 么 时 候 ？"

xiàn zài　　qī zǐ huí dá shuō
"现 在。"妻 子 回 答 说 。

This story is an abridged version of Yu Hua's short story
Love Story. The original story is available at the website: www.
suhu.com on the Internet.

About the author Yu Hua (余华):

Yu Hua is one of China's most celebrated writers. He was born in
1960. He spent his childhood and school years in the small city of
Haiyan in Zhejiang Province. He once worked as a dentist for five
years. Now he lives in Beijing. He began his writing career in
1983. His four novels — 在细雨中呼唤，活着，许三观卖血记
and 兄弟 — are his most widely read and loved works, and 活着
and 许三观卖血记 were listed among last decade's ten most
influential books in China. He has won many Literature Awards
and Prizes. His novella 活着 won the sixth Baihua Prize（百花奖）
of Xiaoshuo Yuebao（小说月报）. Yu Hua was granted the
Grinzane Cavour Literature Award in Italy in 1998, the James
Joyce Foundation Award in Australia and Ireland in 2002, the US

Barnes and Noble Review from Discover Great New Writers and the French Chevalier de l'ordre des arts et des Lettres in 2004, and the First Special Book Awards of China last year. 活着 was adapted into an award-winning movie by Zhang Yimou. His works have been translated into many languages.

思考题:

1. 在一九七七年的秋天，男孩为什么那么害怕？
2. 女孩的心情与男孩有什么不一样？
3. 后来他们结婚了，丈夫是怎么看他的妻子的？
4. 妻子为什么总是编织她的蓝色围巾？
5. 丈夫认为他的最大的错误是什么？
6. 妻子的话不多，你觉得她对丈夫的感情怎么样？
7. 这个"爱情故事"反映了什么样的爱情观念？

责任编辑：傅 眉
英文编辑：韩芙芸
封面设计：古 手
插 图：古 手
印刷监制：佟汉冬

图书在版编目（CIP）数据

汉语分级阅读1/ 史迹编著. —北京: 华语教学出版社, 2007
ISBN 978-7-80200-374-3

I. 汉… II. 史… III. 汉语–阅读教学–对外汉语教学–自学参考资料
IV. H195.4

中国版本图书馆CIP数据核字（2007）第116586号

汉语分级阅读1
史迹 编著
*
华语教学出版社
华语教学出版社出版
（中国北京百万庄大街24号　邮政编码 100037）
电话: (86)10-68320585 68997826
传真: (86)10-68997826 68326333
网址: www.sinolingua.com.cn
电子信箱: hyjx@sinolingua.com.cn
北京市松源印刷有限公司印刷
2007年(32开)第1版
2011年第1版第3次印刷
（汉英）
ISBN 978-7-80200-374-3
定价: 42.00元